KB198975

시사일본어사

머리말

우리는 흔히 일본어를 배우기 쉬운 언어라고 이야기합니다. 하지만 실제로 공부를 시작하면 처음부터 난관에 부딪힙니다. 그 이유는 바로 일본 문자인 히라가나와 가타카나를 외우는 게 너무나 어렵기 때문입니다.

히라가나 46자에 가타카나 46자, 거기에 다시 탁음, 반탁음에 요음, 촉음까지. 모두 합하면 100문자는 가뿐히 넘어갑니다. 하지만 이 많은 문자들을 외우기 위해 일반적인 교재들이 제시하는 방법은 오로지 수 십 번씩 쓰며 외우는 것뿐입니다. 이런 상황에서 학습자들이 일본어에 의욕을 잃는 것은 어쩌면 당연한 일일 수도 있겠습니다.

이 책은 바로 이런 문제를 해결하기 위해 만들어졌습니다.

1. 한 번에 외워지는 쉬운 암기 공식
2. 한 눈에 들어오는 명확한 그림 해설
3. 정확한 읽기 쓰기를 위한 발음과 획순
4. 배운 문자를 복습하는 확인문제까지

이제 문자를 외운기 위해 입이 아프게 달달 외울 필요도, 팔이 빠져라 적을 필요도 없습니다. 부담 없이 재미있게 한 장씩 넘겨가다 보면, 어느새 히라가나와 가타카나를 술술 외우고 있는 자신을 발견하게 될 테니까요.

모쪼록 학습자 여러분이 이 책을 통해 일본어의 첫 발을 멋지게 내딛기를 기원하며, 마지막으로 이 책의 출간을 위해 도와주신 가족, 지인, 그리고 ㈜시사일본어사 관계자 여러분에게 진심으로 감사의 말씀을 올립니다.

저자 김주안

이 책의 구성과 특징

히라가나

お

오 [o]

외우는 방법

おは 온도계를 닮은 모양이에요.
'온도계의 お'로 외워주세요.

그림으로 보기

お

온도계의 お

12 하루만에 끝내는

1 문자 소개

일본어 문자를 보여주며 모양과 발음을 파악할 수 있습니다.

2 외우는 방법

가장 쉬운 연상 암기법을 사용하여 단번에 문자를 내 것으로 만들 수 있습니다.

3 그림으로 보기

연상 암기법에 해당하는 설명을 그림으로 직접 보며 더욱 쉽게 이해할 수 있습니다.

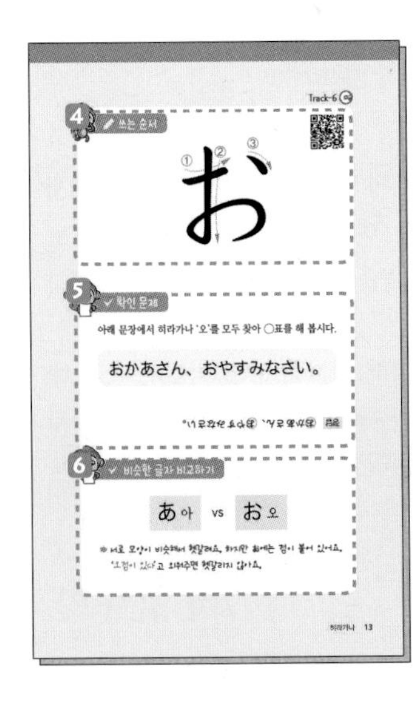

Track-6

쓰는 순서

お

확인 문제

아래 문장에서 히라가나 '오'를 모두 찾아 ○표를 해 봅시다.

おかあさん、おやすみなさい。

비슷한 글자 비교하기

あ 아 vs お 오

※ 서로 모양이 비슷해서 헷갈려요. 하지만 お에는 점이 붙어 있어요.
'오점이 있다'고 외워주면 헷갈리지 않아요.

히라가나 13

4 쓰는 순서

문자를 쓰는 법과 정확한 순서를 익히며 올바르게 암기할 수 있습니다.

5 확인 문제

여러 문자(50음도)로 구성된 문장에서 해당 문자를 찾는 연습을 하며 실력을 확인할 수 있습니다.

* 정답은 확인문제 하단에 거꾸로 표기해 놓았습니다.

6 비슷한 글자 비교하기

서로 모양이 비슷하여 헷갈릴 수 있는 단어를 비교 대조한 설명을 보며 쉽게 구분할 수 있습니다.

7 연습문제

3~4행이 끝날 때마다 다양한 연습문제를 풀어보며 복습할 수 있습니다.

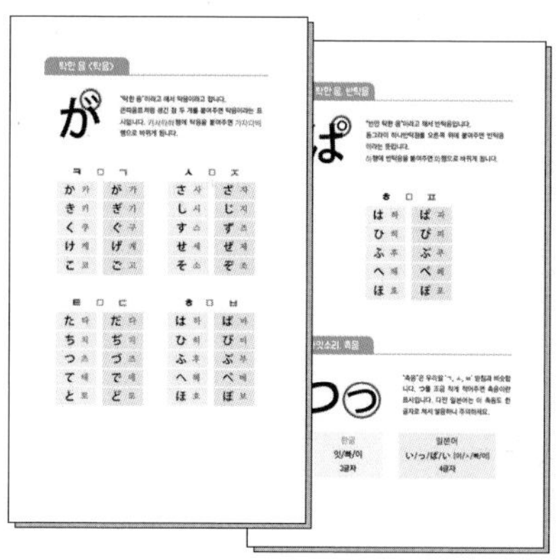

8 부록

탁음, 반탁음, 촉음, 요음을 정리해 놓았으며, 연습문제 정답도 함께 수록해 놓았습니다.

MP3 및 QR 코드 활용 방법

1. MP3
   시사일본어사 홈페이지(www.sisabooks.com)나 콜롬북스 어플리케이션에서 원어민의 음성과 한국어 설명이 담긴 파일을 다운로드 받아 언제 어디서든 손쉽게 활용하여 학습할 수 있습니다.

2. QR 코드
   페이지별로 넣어 놓은 QR 코드를 찍기만 하면 원어민의 음성과 한국어 설명을 언제 어디서든 쉽고 빠르게 활용하여 학습할 수 있습니다.

Track-1

히라가나

행＼단	아	이	우	에	오
아	あ 아 [a]	い 이 [i]	う 우 [u]	え 에 [e]	お 오 [o]
카	か 카 [ka]	き 키 [ki]	く 쿠 [ku]	け 케 [ke]	こ 코 [ko]
사	さ 사 [sa]	し 시 [si]	す 스 [su]	せ 세 [se]	そ 소 [so]
타	た 타 [ta]	ち 치 [chi]	つ 쯔 [tsu]	て 테 [te]	と 토 [to]
나	な 나 [na]	に 니 [ni]	ぬ 누 [nu]	ね 네 [ne]	の 노 [no]
하	は 하 [ha]	ひ 히 [hi]	ふ 후 [hu]	へ 헤 [he]	ほ 호 [ho]
마	ま 마 [ma]	み 미 [mi]	む 무 [mu]	め 메 [me]	も 모 [mo]
야	や 야 [ya]		ゆ 유 [yu]		よ 요 [yo]
라	ら 라 [ra]	り 리 [ri]	る 루 [ru]	れ 레 [re]	ろ 로 [ro]
와	わ 와 [wa]				を 오 [wo]
	ん 응 [n]				

아 [a]

외우는 방법

あ는 + (플러스)와 α(알파)를 합친 모양이에요.
'플러스 알파의 아'로 외워주세요.

그림으로 보기

플러스

알파

플러스 알파의 아

Track-2

쓰는 순서

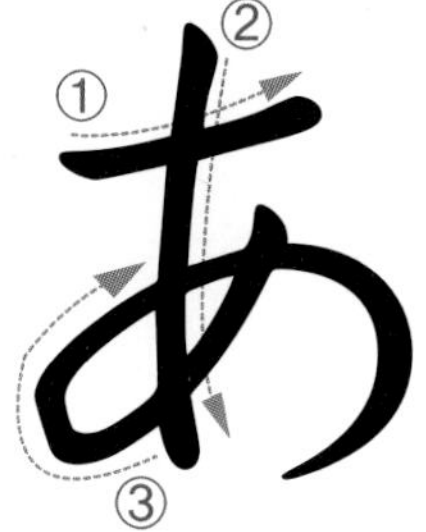

확인 문제

아래 문장에서 히라가나 '아'를 모두 찾아 ○표를 해 봅시다.

あかい たいよう、あおい そら。

정답 あかい たいよう、あおい そら。

이 [i]

외우는 방법

い는 한글의 이를 닮은 모양이에요.
'이의 い'로 외워주세요.

그림으로 보기

이의 い

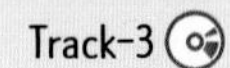

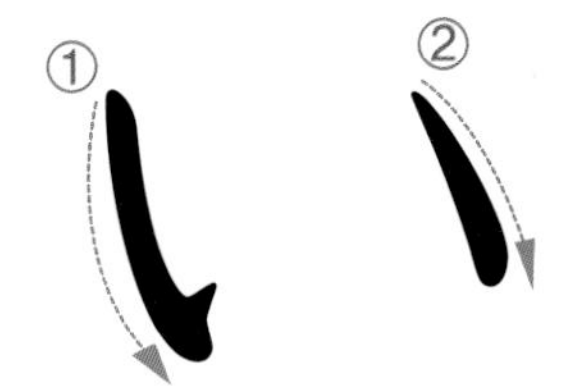

아래 문장에서 히라가나 '이'를 모두 찾아 ○표를 해 봅시다.

あなたに あいに いきます。

정답 あなたに あ(い)に (い)きます。

う

우 [u]

외우는 방법

う는 한글의 우를 닮은 모양이에요.
'우의 う'로 외워주세요.

그림으로 보기

우의 う

Track-4

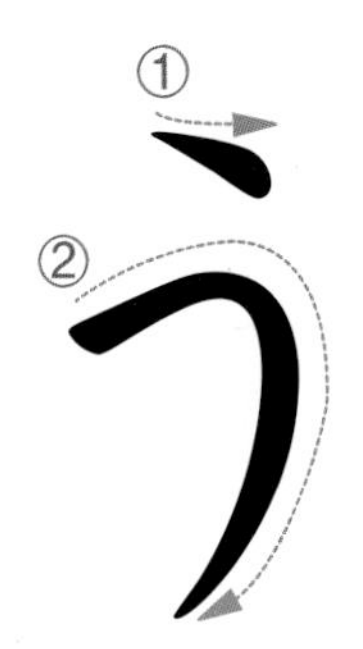

아래 문장에서 히라가나 '우'를 모두 찾아 ◯표를 해 봅시다.

うえを むいて あるこう。

정답 ㋒えを むいて あるこ㋒。

え

에 [e]

외우는 방법

え는 a(에이) 안에 え가 들어가 있는 모양이에요.
'에이(a)의 え'로 외워주세요.

그림으로 보기

에이(a)의 え

Track-5

아래 문장에서 히라가나 '에'를 모두 찾아 ○표를 해 봅시다.

みんな いえに かえります。

정답 みんな い(え)に か(え)ります。

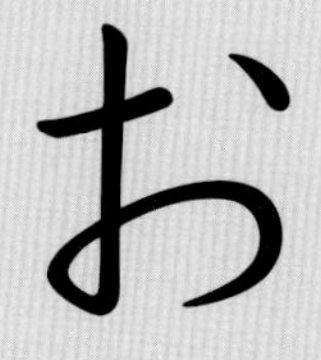

오 [o]

외우는 방법

おは 온도계를 닮은 모양이에요.

'온도계의 お'로 외워주세요.

그림으로 보기

온도계의 お

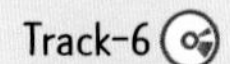

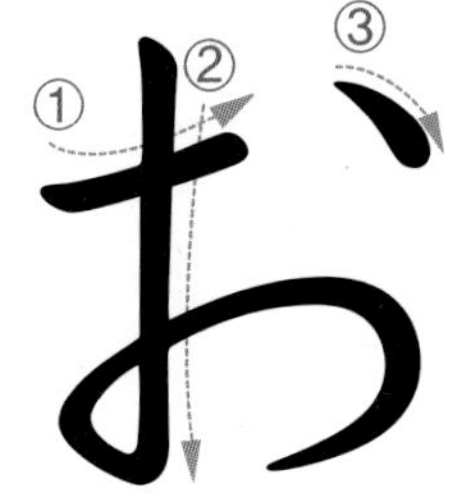

아래 문장에서 히라가나 '오'를 모두 찾아 ◯표를 해 봅시다.

おかあさん、おやすみなさい。

정답 おかあさん、おやすみなさい。

비슷한 글자 비교하기

あ 아	vs	お 오

➡ 서로 모양이 비슷해서 헷갈려요. 하지만 お에는 점이 붙어 있어요. '오점이 있다'고 외워주면 헷갈리지 않아요.

か

카 [ka]

외우는 방법

か는 한글의 카자를 닮은 모양이에요.
'카의 か'로 외워주세요.

그림으로 보기

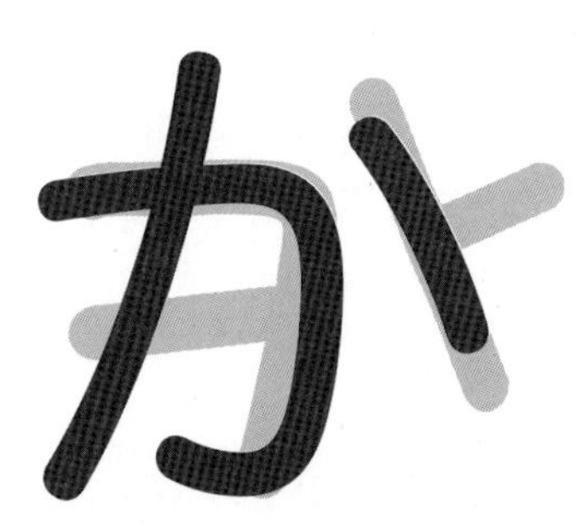

카의 か

Track-7

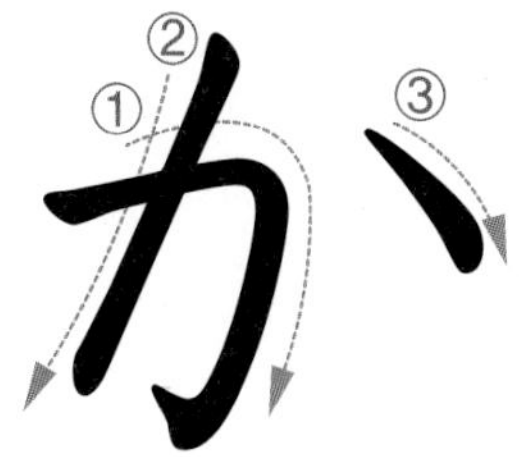

아래 문장에서 히라가나 '카'를 모두 찾아 ○표를 해 봅시다.

へやに なにか ありますか。

정답 へやに なに(か) ありますか(か)。

키 [ki]

외우는 방법

き는 열쇠 '키(key)'를 닮은 모양이에요.
'키의 き'로 외워주세요.

그림으로 보기

키(key)의 き

Track-8

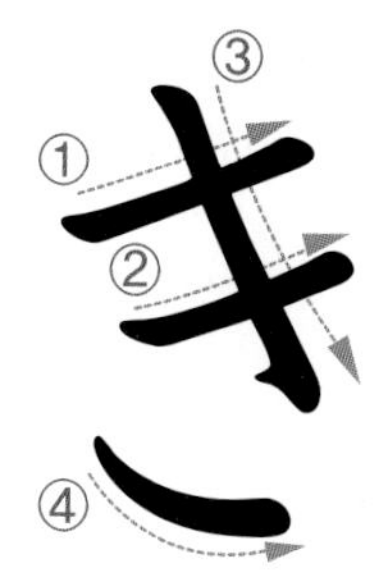

➡ き는 서체에 따라 아랫부분이 이어져 있는 경우도 있는데, 쓸 때는 반드시 띄어서 써야 합니다.

✓ 확인 문제

아래 문장에서 히라가나 '키'를 모두 찾아 ○표를 해 봅시다.

あきらめきれない ゆめ。

정답 あ㋖らめ㋖れない ゆめ。

쿠 [ku]

외우는 방법

く는 알파벳 C와 닮은 모양이에요.
'Cookie(쿠키)의 く'로 외워주세요.

그림으로 보기

くookie

Cookie의 く

Track-9

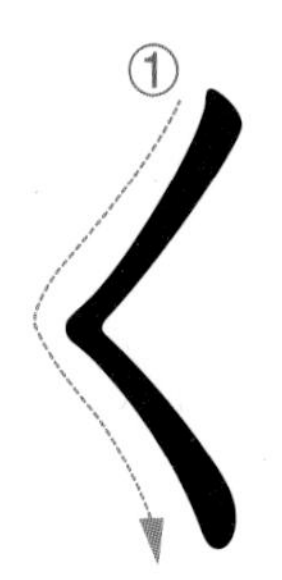

아래 문장에서 히라가나 '쿠'를 모두 찾아 ○표를 해 봅시다.

わたし もう いくからな。

정답 わたし もう い(く)からな。

케 [ke]

외우는 방법

け는 캡(cap)을 쓴 사람을 닮은 모양이에요.

'캡의 け'로 외워주세요.

그림으로 보기

캡의 け

Track-10

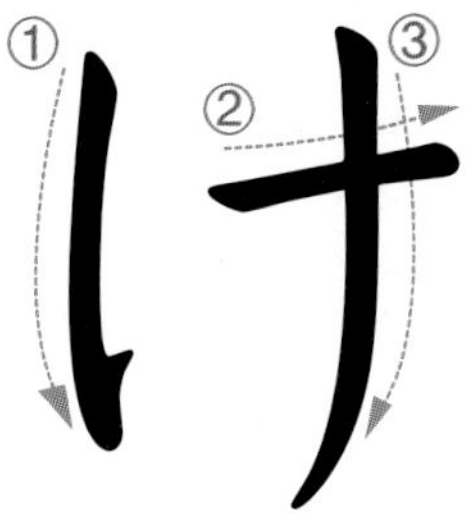

아래 문장에서 히라가나 '케'를 모두 찾아 ○표를 해 봅시다.

ひたすら うつくしい けしき。

정답 ひたすら うつくしい けしき。

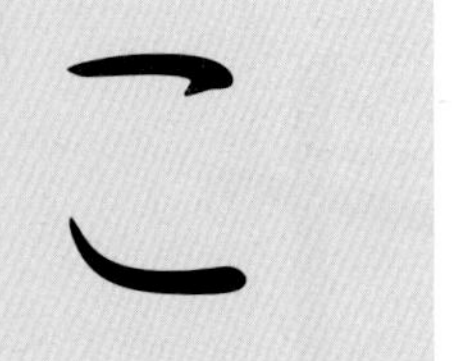

코 [ko]

외우는 방법

こ는 한글의 코자를 닮은 모양이에요.
'코의 こ'로 외워주세요.

그림으로 보기

코의 こ

Track-11

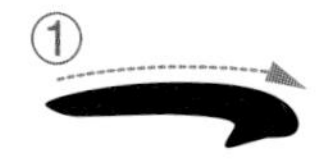

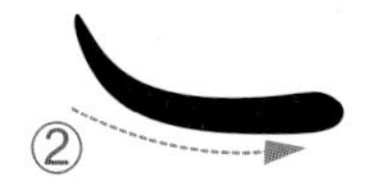

아래 문장에서 히라가나 '코'를 모두 찾아 ○표를 해 봅시다.

ともに ゆこう、てを ひくよ。

정답 ともに ゆこう、てを ひくよ。

사 [sa]

외우는 방법

さ는 시계방향으로 90도 돌리면 한글의 사가 됩니다.
'사의 さ'로 외워주세요.

그림으로 보기

사의 さ

Track-12

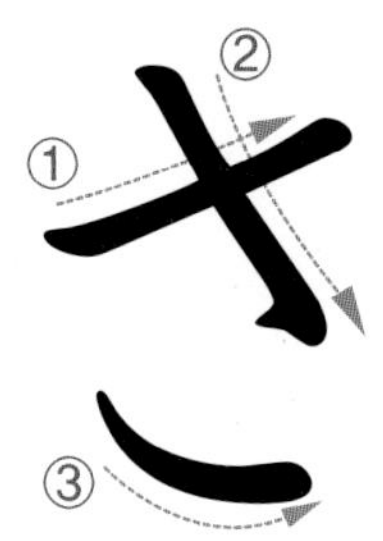

➡ 아랫부분과 이어지는 게 아니라 떨어지도록 써 주세요.

✓ 확인 문제

아래 문장에서 히라가나 ‘사’를 모두 찾아 ○표를 해 봅시다.

ささやかな くらし。

정답 ⓢⓢやかな くらし。

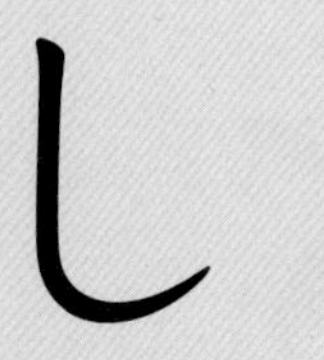

시 [si]

외우는 방법

し는 실을 닮은 모양이에요.
'실의 し'로 외워주세요.

그림으로 보기

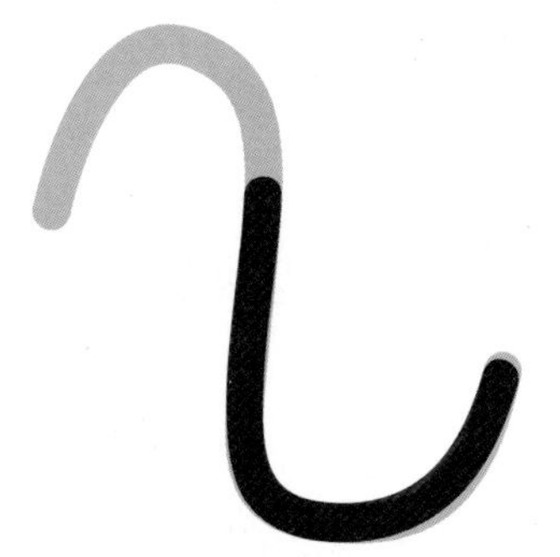

실의 し

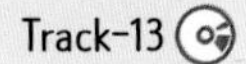

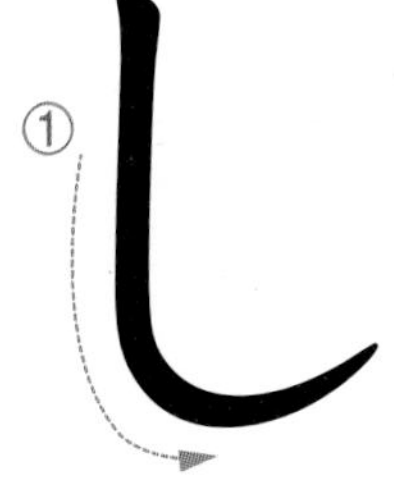

➡ 갈고리 같은 모양으로 적어주세요.

아래 문장에서 히라가나 '시'를 모두 찾아 ○표를 해 봅시다.

おいしい すしやに
いきませんか。

정답 おい(し)い す(し)やに いきませんか。

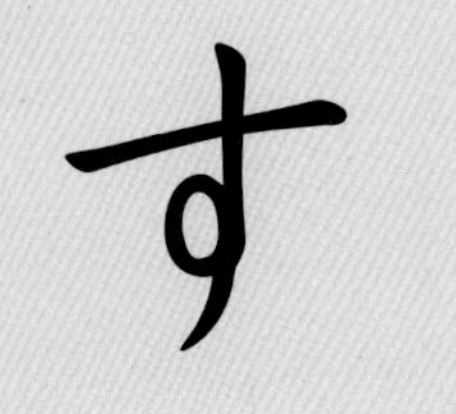

수 [su]

외우는 방법

す는 수박 꼭지를 닮은 모양이에요.
'수박꼭지의 す'로 외워주세요.

그림으로 보기

수박꼭지의 す

Track-14

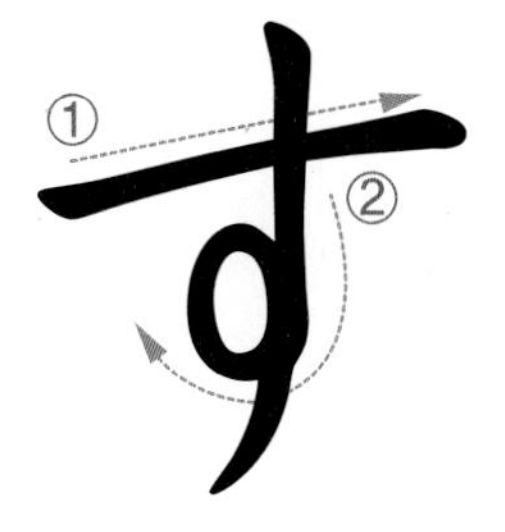

아래 문장에서 히라가나 '스'를 모두 찾아 ○표를 해 봅시다.

すきな あいてに こくはくする。

정답 (す)きな あいてに こくはく(す)る。

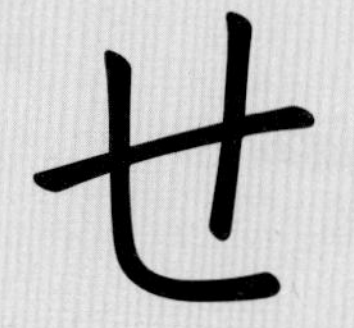

세 [se]

외우는 방법

せ는 한자 세상 세(世)를 닮은 모양이에요.
'세상 세(世)의 せ'로 외워주세요.

그림으로 보기

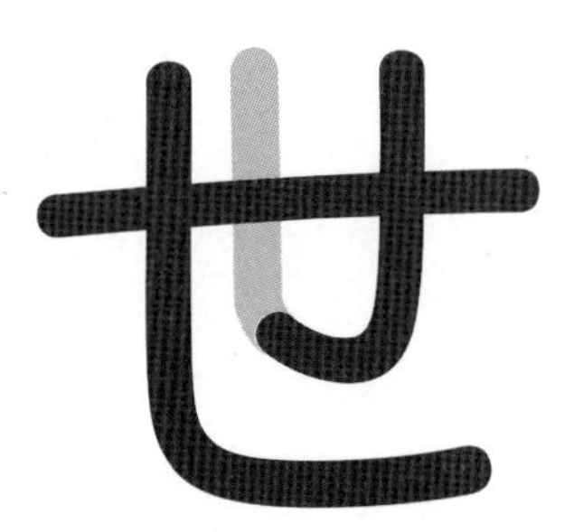

세상 世의 せ

Track-15

쓰는 순서

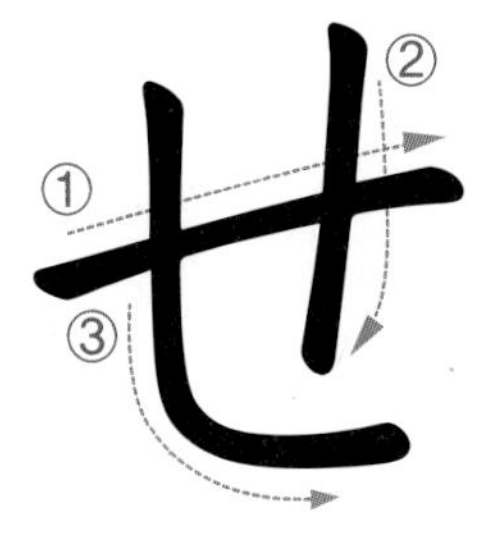

확인 문제

아래 문장에서 히라가나 '세'를 모두 찾아 ○표를 해 봅시다.

あせく さいふくを
あらいました。

정답 あ(せ)く さいふくを あらいました。

소 [so]

외우는 방법

そ는 전구의 소켓을 닮은 모양이에요.
'소켓의 そ'로 외워주세요.

그림으로 보기

소켓의 そ

Track-16

➡ 1획으로 쓰지만 꺾인 부분이 많아 어려워요. 알파벳 z와 c를 이어 쓴다고 생각하며 써 보세요.

아래 문장에서 히라가나 '소'를 모두 찾아 ○표를 해 봅시다.

とても おいしそうな みそしる。

정답 とても おいし㋢うな み㋢しる。

연습문제

지금까지 암기한 내용을 다시 한번 확인해 봅시다.

❶ 서로 맞는 것끼리 연결해 봅시다.

お	え	あ	う	い
에	우	아	이	오

❷ 다음 표에서 히라가나 '카키쿠케코' 빙고를 찾아 표시해 봅시다.

き	か	こ	く	き
か	こ	か	き	け
く	け	け	き	か
か	き	く	け	こ
く	こ	こ	か	か

❸ 다음 글자 중에서 '사시스세소'를 찾아 순서대로 연결해 봅시다.

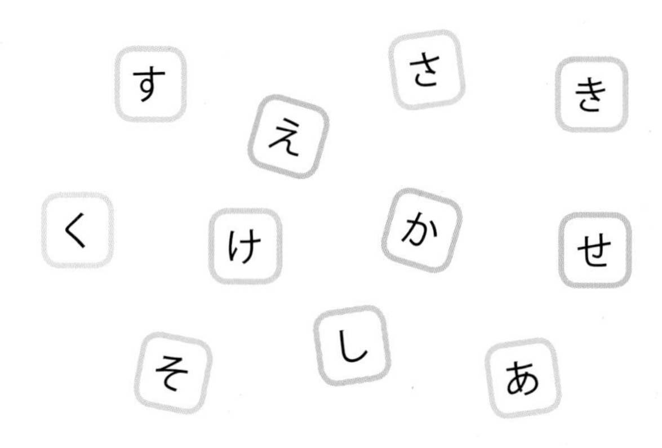

❹ 다음 글자 중 각 행에 어울리지 않는 것을 찾아 올바르게 고쳐봅시다.

아행	あ	り	う	え	お	
카행	か	さ	く	け	こ	
사행	き	し	す	せ	そ	

た

타 [ta]

외우는 방법

た는 한글 ㅌ자를 닮은 모양이에요.
'타의 た'로 외워주세요.

그림으로 보기

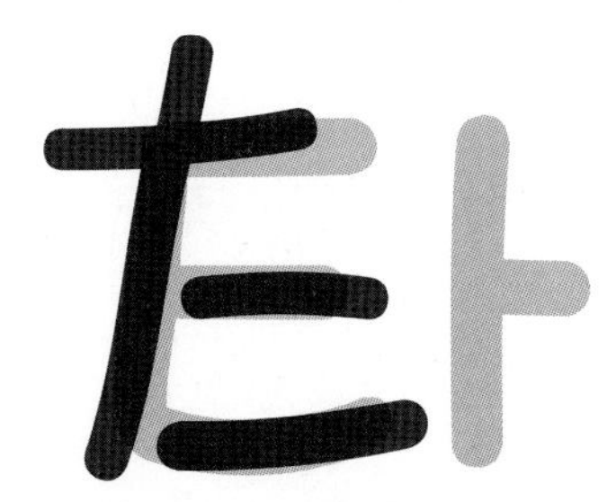

타의 た

Track-17

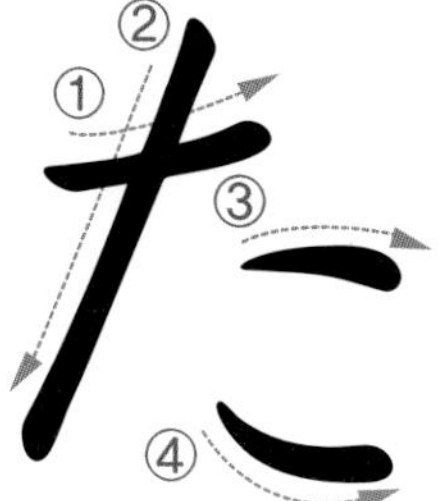

아래 문장에서 히라가나 '타'를 모두 찾아 ○표를 해 봅시다.

そんな こと したら
ゆるさないからな。

정답 そんな こと したら ゆるさないからな。

ち

치 [chi]

외우는 방법

ち는 일곱 칠(七)과 숫자 7을 합친 모양이에요.
'칠칠(七7)의 ち'로 외워주세요.

그림으로 보기

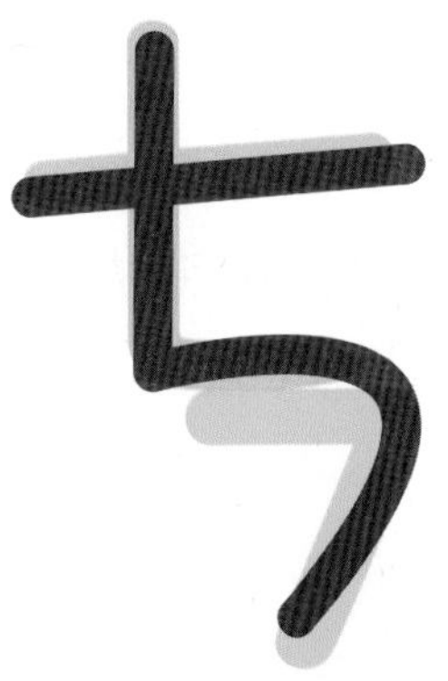

칠칠의 ち

Track-18

쓰는 순서

확인 문제

아래 문장에서 히라가나 '치'를 모두 찾아 ○표를 해 봅시다.

いちから やりなおす ことに
なりました。

정답 い(ち)から やりなおす ことに なりました。

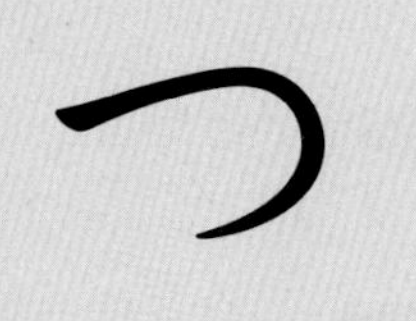

츠 [tsu]

외우는 방법

つ는 한글 ㄱ자를 닮은 모양이에요.
합쳐서 '츠의 つ'로 외워주세요.

그림으로 보기

츠의 つ

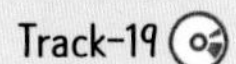

쓰는 순서

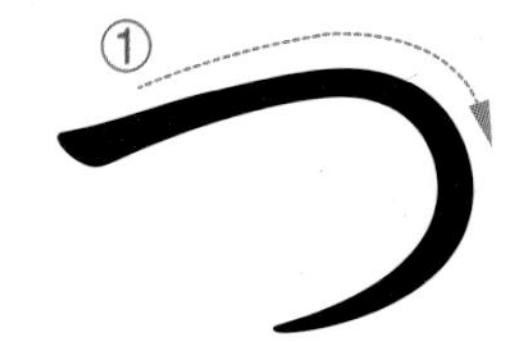

확인 문제

아래 문장에서 히라가나 'ㅊ'를 모두 찾아 ◯표를 해 봅시다.

いよいよ あつい なつも
おわりました。

정답 いよいよ あ(つ)い な(つ)も おわりました。

て

테 [te]

외우는 방법

테는 테이프를 닮은 모양이에요.
'테이프의 て'로 외워주세요.

그림으로 보기

테이프의 て

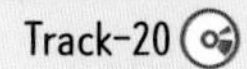

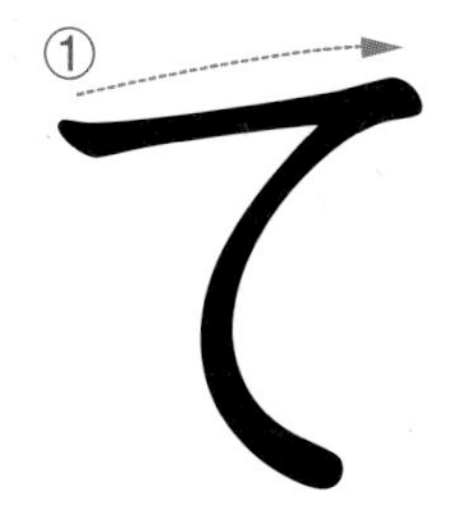

아래 문장에서 히라가나 '테'를 모두 찾아 ○표를 해 봅시다.

あしたも いい てんきに
なりますように。

정답 あしたも いい ⓣてんきに なりますように。

と

토 [to]

외우는 방법

と는 토끼를 닮은 모양이에요.
'토끼의 と'로 외워주세요.

그림으로 보기

토끼의 と

Track-21

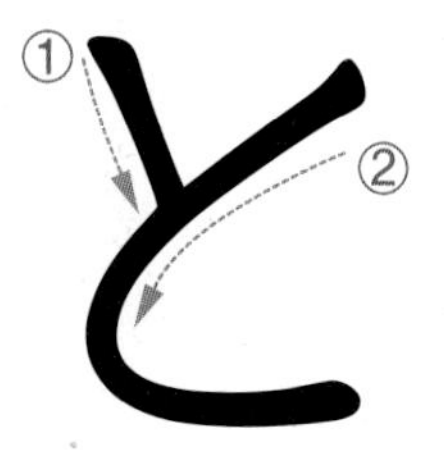

아래 문장에서 히라가나 '토'를 모두 찾아 ○표를 해 봅시다.

おとなしく してくれよ。

정답 お(と)なしく して くれよ。

나 [na]

외우는 방법

な는 십자나사를 닮은 모양이에요.
'나사의 な'로 외워주세요.

그림으로 보기

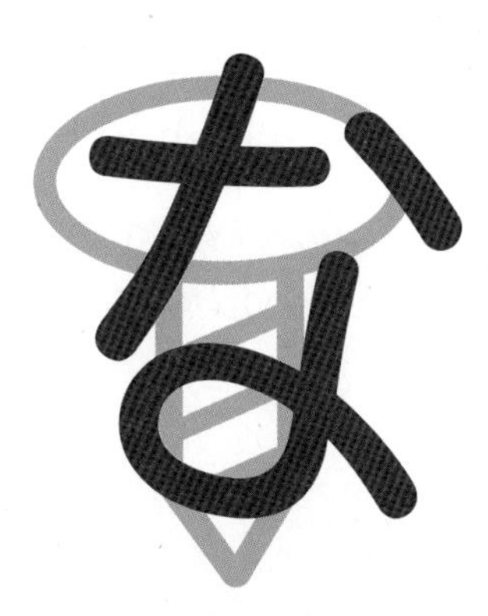

나사의 な

Track-22

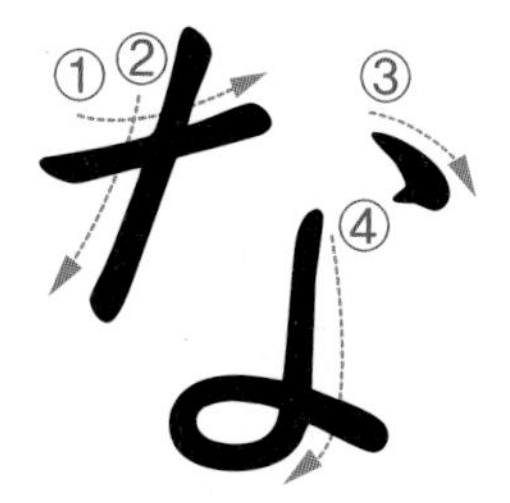

아래 문장에서 히라가나 '나'를 모두 찾아 ○표를 해 봅시다.

まつりは なのかに
ひらかれます。

정답 まつりは なのかに ひらかれます。

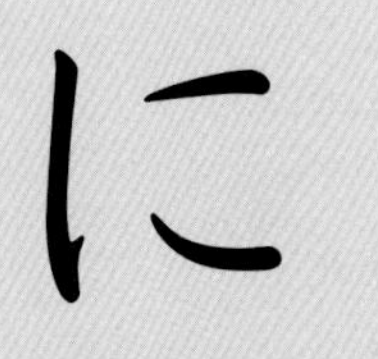

니 [ni]

외우는 방법

に는 한글 '니은' 안에 들어 있습니다.
'니은의 に'로 외워주세요.

그림으로 보기

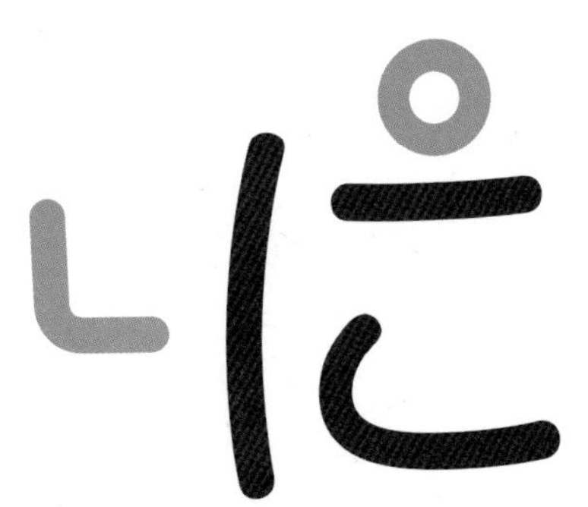

니은의 に

Track-23

쓰는 순서

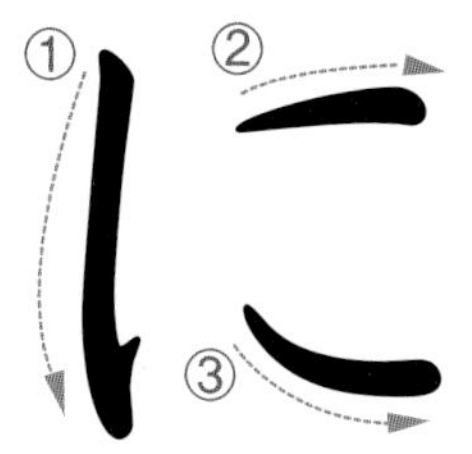

확인 문제

아래 문장에서 히라가나 '니'를 모두 찾아 ◯표를 해 봅시다.

あした、にほんにかえります。

정답 あした、にほんにかえります。

누 [nu]

외우는 방법

ぬ는 눈물을 흘리는 모습과 닮았어요.
'눈물의 ぬ'로 외워주세요.

그림으로 보기

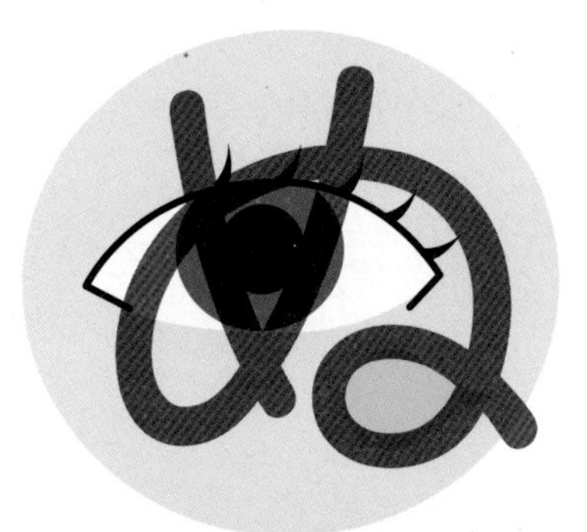

눈물의 ぬ

Track-24

아래 문장에서 히라가나 '누'를 모두 찾아 ○표를 해 봅시다.

ぬくもりの ある ふんいきの
いえ。

정답 ぬくもりの ある ふんいきの いえ。

ね

네 [ne]

외우는 방법

ね는 영어 ne(네)를 빠르게 흘려 쓴 모양이에요.
'ne의 ね'로 외워주세요.

그림으로 보기

ne의 ね

Track-25

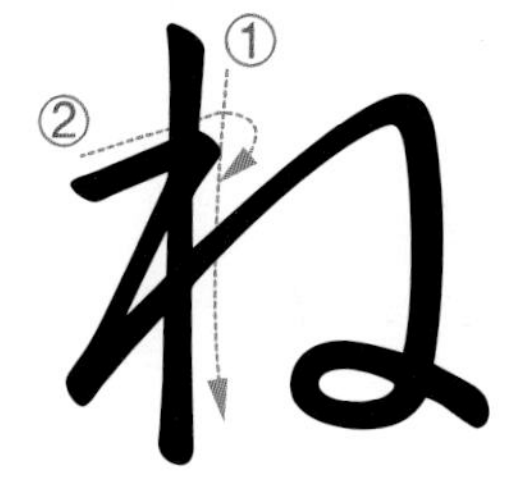

아래 문장에서 히라가나 '네'를 모두 찾아 ○표를 해 봅시다.

うちの ねこは いつも いすの
うえに いる。

정답 うちの ねこは いつも いすの うえに いる。

노 [no]

외우는 방법

の는 **높**은음자리표를 닮은 모양이에요.
'**높**은음자리표의 の'로 외워주세요.

그림으로 보기

높은음자리표의 の

Track-26

쓰는 순서

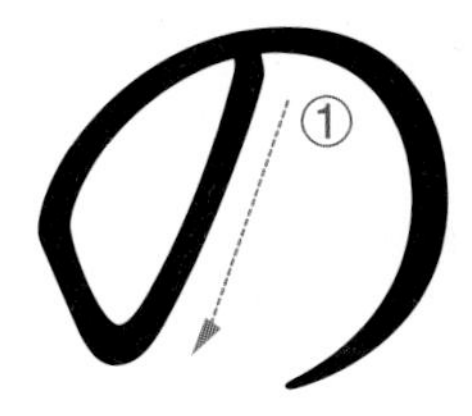

확인 문제

아래 문장에서 히라가나 '노'를 모두 찾아 ◯표를 해 봅시다.

かれの はなしを きいて
あんしんした。

정답 かれ◯の はなしを きいて あんしんした。

は

하 [ha]

외우는 방법

は는 한글의 ㅂ자와 닮은 모양이에요.
합쳐서 '합의 は'로 외워주세요.

그림으로 보기

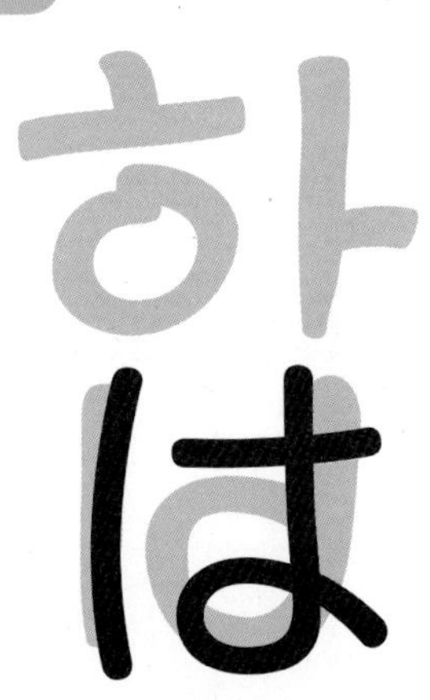

합의 は

Track-27

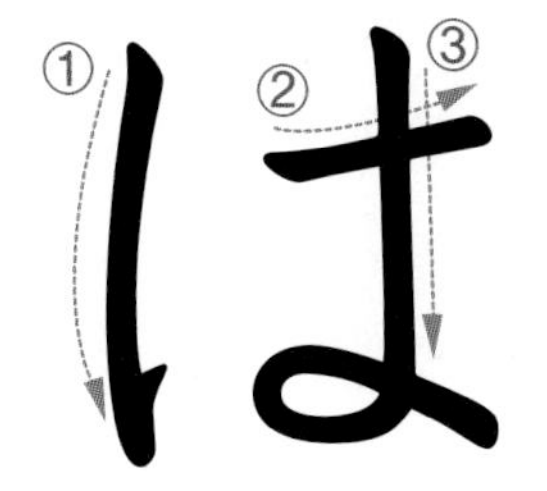

아래 문장에서 히라가나 '하'를 모두 찾아 ○표를 해 봅시다.

はるに なると はなみに いく。

정답 (は)るに なると (は)なみに いく。

ひ

히 [hi]

외우는 방법

ひ는 한글의 히자와 닮은 모양이에요.

'히의 ひ'로 외워주세요.

그림으로 보기

히의 ひ

Track-28

아래 문장에서 히라가나 '히'를 모두 찾아 ◯표를 해 봅시다.

はるの ように あたたかい ひ。

정답 はるの ように あたたかい (ひ)。

ふ

후 [hu]

외우는 방법

ふ는 후크를 닮은 모양이에요.
'후크의 ふ'로 외워주세요.

그림으로 보기

후크의 ふ

Track-29

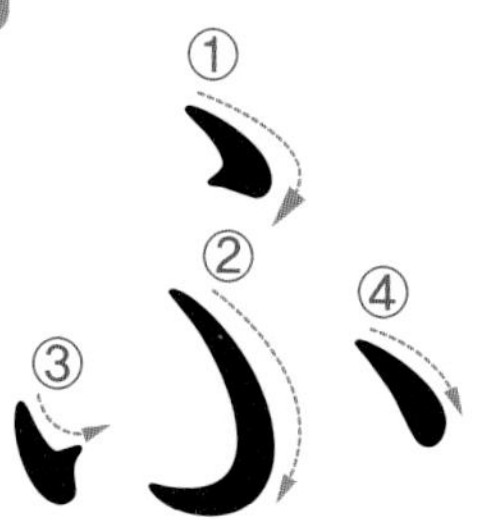

아래 문장에서 히라가나 '후'를 모두 찾아 ◯표를 해 봅시다.

つらい かこの きおくを
ふりきる。

정답 つらい かこの きおくを ふりきる。

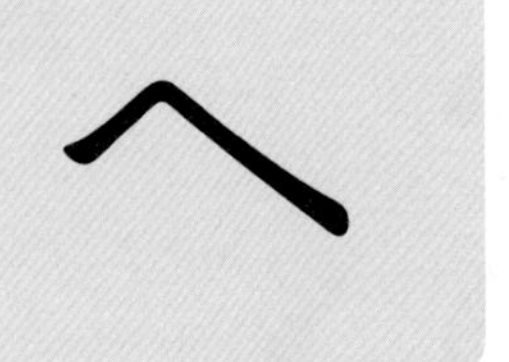

헤 [he]

외우는 방법

へ는 헤헤 웃는 이모티콘과 닮은 모양이에요.
'헤헤(^^)의 へ'로 외워주세요.

그림으로 보기

헤헤(^^)의 へ

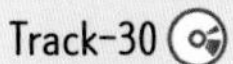

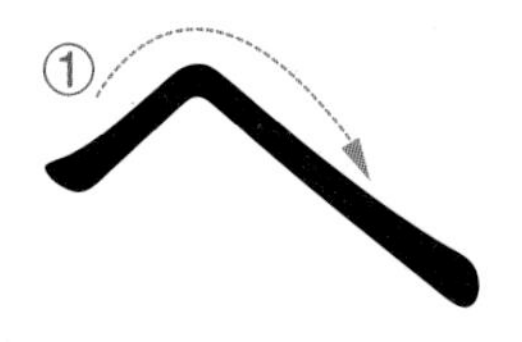

✓ 확인 문제

아래 문장에서 히라가나 '헤'를 모두 찾아 ○표를 해 봅시다.

あかるくて きれいな へや。

정답 あかるくて きれいな (へ)や。

ほ

호 [ho]

외우는 방법

ほ는 호루라기를 닮은 모양이에요.
'호루라기의 ほ'로 외워주세요.

그림으로 보기

호루라기의 ほ

Track-31

쓰는 순서

확인 문제

아래 문장에서 히라가나 '호'를 모두 찾아 ○표를 해 봅시다.

ほおに なにか ついて いる。

정답 ほおに なにか ついて いる。

비슷한 글자 비교하기

は 하 vs ほ 호

➡ ほ는 は보다 줄이 하나 많습니다. '호박에 줄긋는다'고 외워주세요.

연습문제

지금까지 암기한 내용을 다시 한번 확인해 봅시다.

❶ 서로 맞는 것끼리 연결해 봅시다.

つ	ち	と	て	た
타	토	츠	치	테

❷ 다음 표에서 히라가나 '나니누네노' 빙고를 찾아 표시해 봅시다.

な	に	な	の	ぬ
に	に	に	ね	ね
ぬ	ね	ぬ	ぬ	な
ね	に	の	に	ね
な	ぬ	の	な	の

❸ 다음 글자 중에서 '하히후헤호'를 찾아 순서대로 연결해 봅시다.

❹ 다음 글자 중 각 행에 어울리지 않는 것을 찾아 올바르게 고쳐 써 봅시다.

타행	た	さ	つ	て	と	
나행	な	に	め	ね	の	
하행	け	ひ	ふ	へ	ほ	

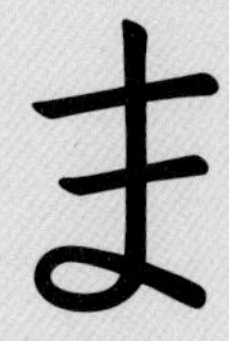

마 [ma]

외우는 방법

ま는 마술모자를 닮은 모양이에요.
'마술모자의 ま'로 외워주세요.

그림으로 보기

마술모자의 ま

Track-32

쓰는 순서

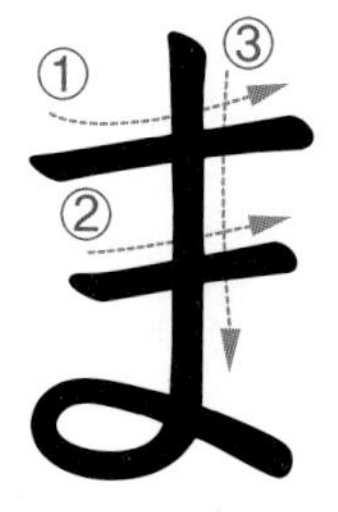

확인 문제

아래 문장에서 히라가나 '마'를 모두 찾아 ○표를 해 봅시다.

まんまるい つき。

정답 まんまるい つき。

미 [mi]

외우는 방법

み는 미끼를 닮은 모양입니다.
'미끼의 み'로 외워주세요.

그림으로 보기

미끼의 み

Track-33

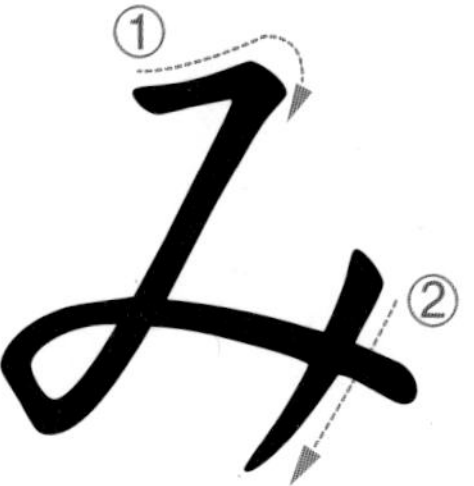

아래 문장에서 히라가나 '미'를 모두 찾아 ◯표를 해 봅시다.

みちなき みちを いく。

정답 みちなき みちを いく。

무 [mu]

외우는 방법

む는 무대를 닮은 모양이에요.
'무대의 む'로 외워주세요.

그림으로 보기

무대의 む

Track-34

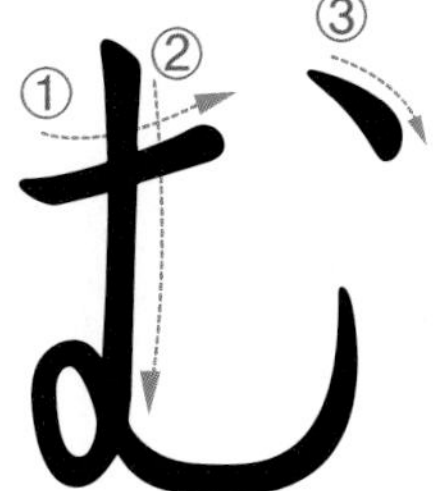

아래 문장에서 히라가나 '무'를 모두 찾아 ○표를 해 봅시다.

むかし、むかし、その むかし。

정답 (む)かし、(む)かし、その(む)かし。

메 [me]

외우는 방법

め는 눈매처럼 생긴 모양이에요.
'눈매의 め'로 외워주세요.

그림으로 보기

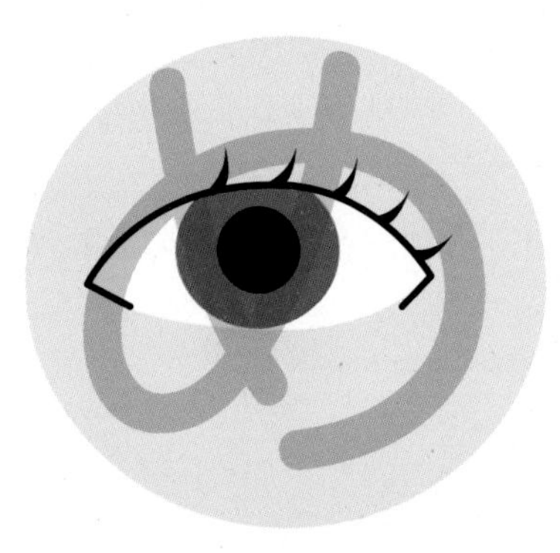

눈매의 め

Track-35

쓰는 순서

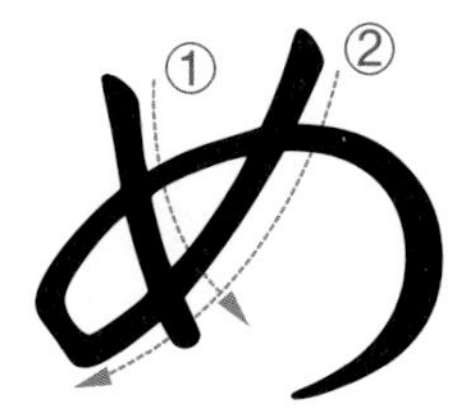

확인 문제

아래 문장에서 히라가나 '메'를 모두 찾아 ○표를 해 봅시다.

たにんに めいわくを かけない
ように。

정답 たにんに めいわくを かけない ように。

비슷한 글자 비교하기

ぬ 누 VS め 메

➡ ぬ에는 동그란 눈물이 그려져 있습니다. '눈물이 뚝뚝'이라고 외우면 헷갈리지 않습니다.

も

모 [mo]

외우는 방법

も는 한자 '털 모(毛)'를 닮은 모양이에요.
'털 모(毛)의 も'로 외워주세요.

그림으로 보기

털 모(毛)의 も

Track-36

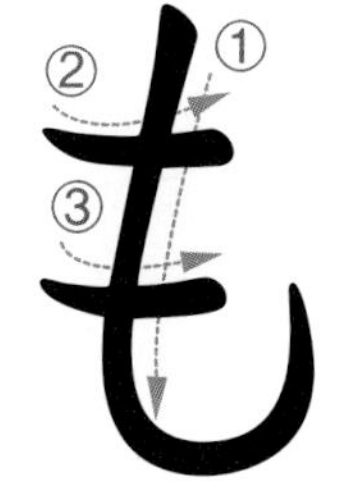

아래 문장에서 히라가나 '모'를 모두 찾아 ○표를 해 봅시다.

いつもと かわらない いちにち。

정답 いつもと かわらない いちにち。

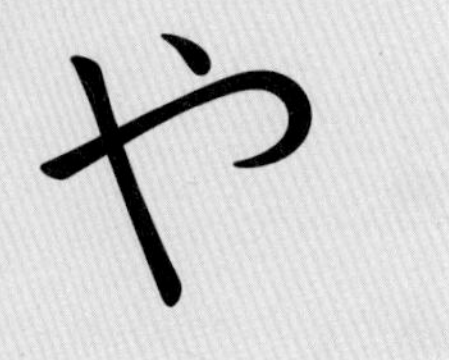

야 [ya]

외우는 방법

や는 야자수를 닮은 모양이에요.
'야자수의 や'로 외워주세요.

그림으로 보기

야자수의 や

Track-37

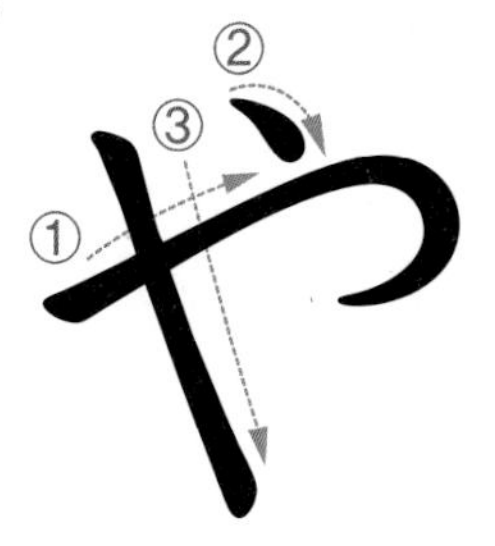

아래 문장에서 히라가나 '야'를 모두 찾아 ○표를 해 봅시다.

ひとの やくに たちたい。

정답 ひとの ⓨくに たちたい。

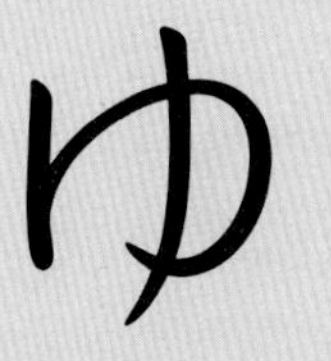

유 [yu]

외우는 방법

ゆ는 유전자를 닮은 모양이에요.
'유전자의 ゆ'로 외워주세요.

그림으로 보기

유전자의 ゆ

Track-38

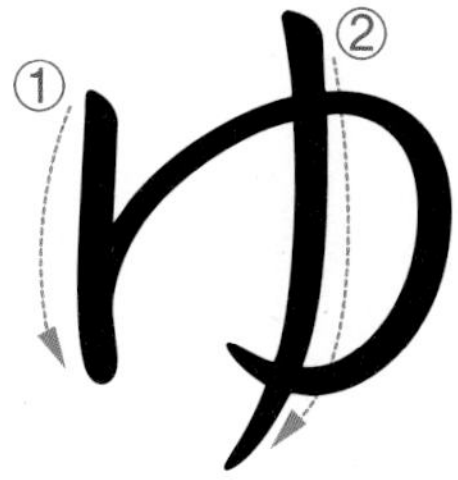

아래 문장에서 히라가나 '유'를 모두 찾아 ◯표를 해 봅시다.

せんとちひろの ゆくえふめい。

정답 せんとちひろの ⓨくえふめい。

요 [yo]

외우는 방법

よ는 요트를 닮은 모양이에요.
'요트의 よ'로 외워주세요.

그림으로 보기

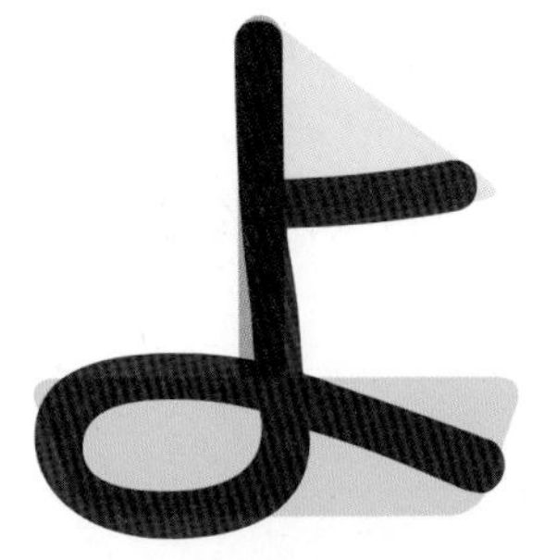

요트의 よ

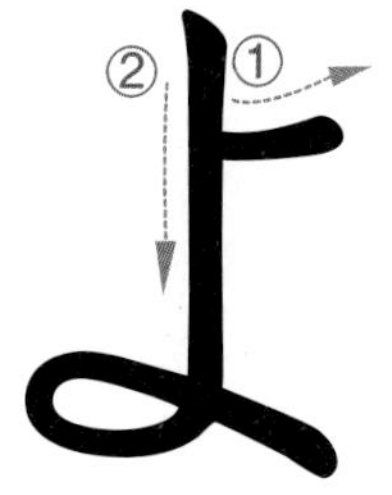

아래 문장에서 히라가나 '요'를 모두 찾아 ◯표를 해 봅시다.

せんせい、さようなら。

정답 せんせい、さ(よ)うなら。

ら

라 [ra]

외우는 방법

ら는 라이트를 닮은 모양이에요.
'라이트의 ら'로 외워주세요.

그림으로 보기

라이트의 ら

Track-40

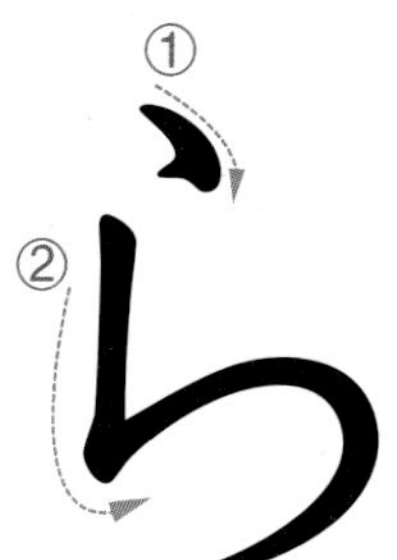

아래 문장에서 히라가나 '라'를 모두 찾아 ○표를 해 봅시다.

いらいらして しまった。

정답 いらいらして しまった。

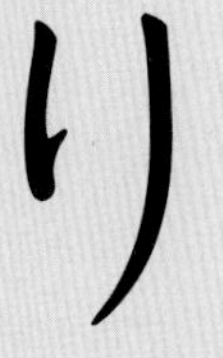

리 [ri]

외우는 방법

り는 영어로 쓰면 'Ly'입니다.
'Ly의 り'로 외워주세요.

그림으로 보기

Ly의 り

Track-41

쓰는 순서

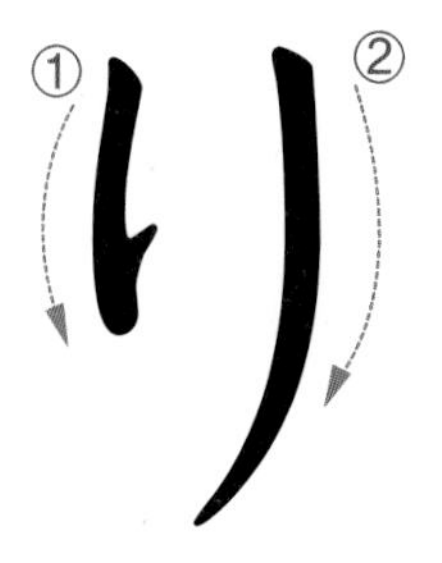

확인 문제

아래 문장에서 히라가나 '리'를 모두 찾아 ○표를 해 봅시다.

たかい りそくを はらう。

정답 たかい りそくを はらう。

る

루 [ru]

외우는 방법

る는 루돌프를 닮은 모양이에요.
'루돌프의 る'로 외워주세요.

그림으로 보기

루돌프의 る

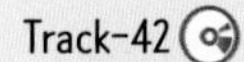

➡ 숫자 3처럼 끝을 말아주는 느낌으로 써 주세요.

✓ 확인 문제

아래 문장에서 히라가나 '루'를 모두 찾아 ◯표를 해 봅시다.

おとうさんの ふるい とけい。

정답 おとうさんの ふ(る)い とけい。

레 [re]

외우는 방법

れ는 영어 RE(레) 안에 들어 있어요.
'RE의 れ'로 외워주세요.

그림으로 보기

RE의 れ

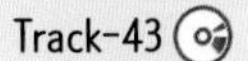

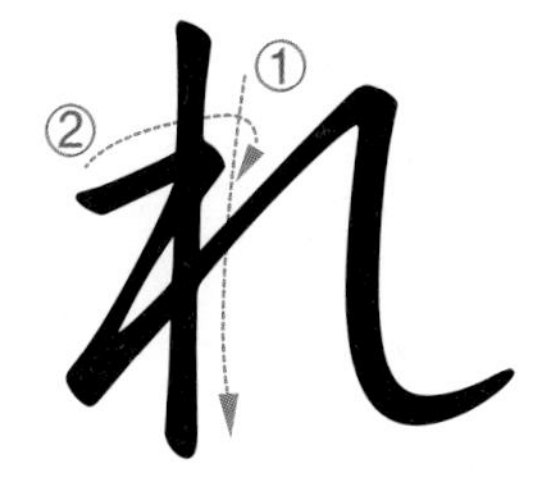

아래 문장에서 히라가나 '레'를 모두 찾아 ○표를 해 봅시다.

きみに あえて うれしい。

정답 きみに あえて う(れ)しい。

비슷한 글자 비교하기

ね 네	vs	れ 레

➡ 서로 모양이 비슷해서 헷갈립니다. 하지만 れ는 꼬리가 ㄹ모양으로 생겼습니다. れ에는 ㄹ이 있다고 외우면 헷갈리지 않습니다.

ろ

로 [ro]

외우는 방법

ろ는 숫자 3을 닮은 모양이에요.
'로봇 3호의 ろ'로 외워주세요.

그림으로 보기

로봇 3호의 ろ

Track-44

쓰는 순서

확인 문제

아래 문장에서 히라가나 '로'를 모두 찾아 ◯표를 해 봅시다.

きのう、いろいろ ありました。

정답 きのう、い㋺い㋺ ありました。

비슷한 글자 비교하기

る 루 vs ろ 로

➡ 서로 모양이 비슷해서 헷갈립니다. 하지만 루돌프의 る는 동그란 사슴코가 있습니다. 루돌프 사슴코로 외우면 헷갈리지 않습니다.

와 [wa]

외우는 방법

わ는 자동차 와이퍼를 닮은 모양이에요.
'와이퍼의 わ'로 외워주세요.

그림으로 보기

와이퍼의 わ

Track-45

쓰는 순서

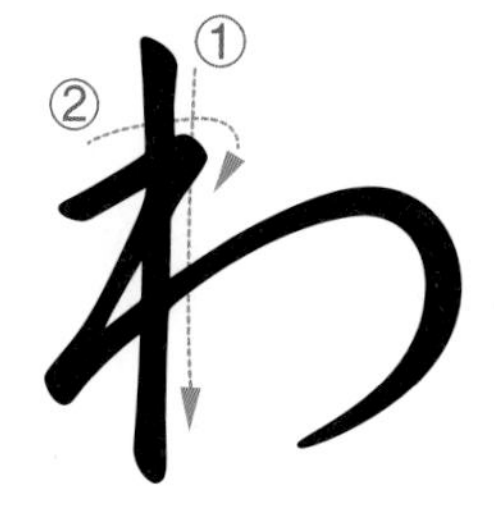

확인 문제

아래 문장에서 히라가나 '와'를 모두 찾아 ◯표를 해 봅시다.

にわにいるにわとり。

정답 に(わ)にいる に(わ)とり。

비슷한 글자 비교하기

れ 레 vs わ 와

➡ 서로 모양이 비슷해서 헷갈립니다. 하지만 わ는 와이퍼라서 끝이 둥근 원 모양으로 생겼습니다. 와이퍼는 둥글다고 외우면 헷갈리지 않습니다.

오 [wo]

외우는 방법

を는 오토바이를 닮은 모양이에요.
'오토바이의 を'로 외워주세요.

그림으로 보기

오토바이의 を

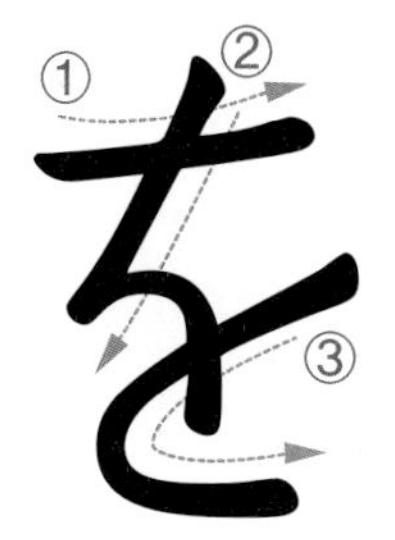

➡ を는 お와 발음이 같습니다. 하지만 を는 우리말로 '~을/를'이라는 뜻으로만 쓰인답니다.

아래 문장에서 히라가나 '오'를 모두 찾아 ◯표를 해 봅시다.

ねる まえに ほんを よみました。

정답 ねる まえに ほん(を) よみました。

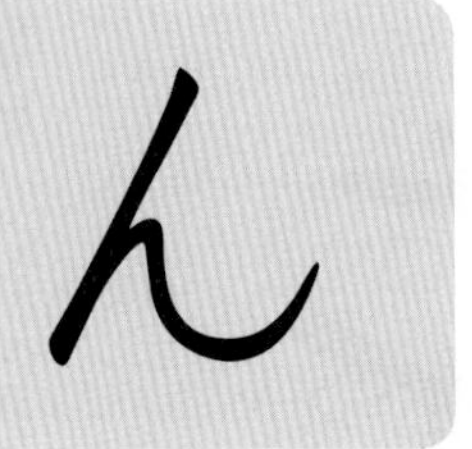

응 [n]

외우는 방법

ん은 응가를 닮은 모양이에요.
'응가의 ん'으로 외워주세요.

그림으로 보기

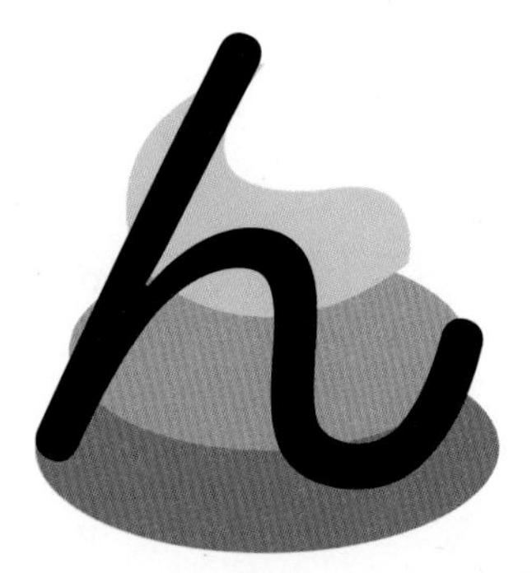

응가의 ん

Track-47

쓰는 순서

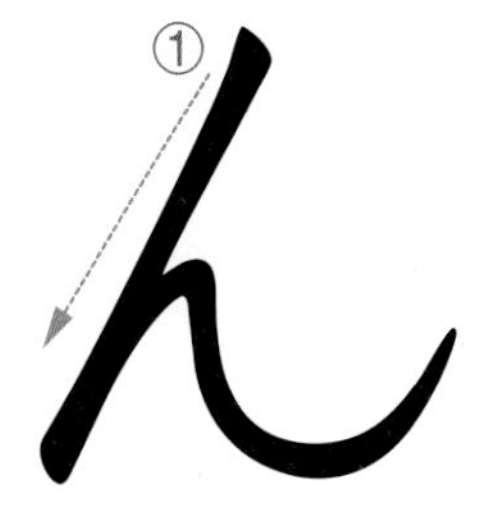

➡ ん은 우리말 'ㄴ, ㅁ' 등과 같은 받침 역할을 하는 글자입니다. 하지만 우리말이랑 다르게 한 박자로 따로 발음해야 합니다.

우리말 : 응/가 (2박자)

일본어 : 으/ㅇ/가 (3박자)

확인 문제

아래 문장에서 히라가나 '응'을 모두 찾아 ○표를 해 봅시다.

おとうとと けんかを して
しまいました。

정답 おとうとと け(ん)かを して しまいました。

연습문제

지금까지 암기한 내용을 다시 한번 확인해 봅시다.

❶ 서로 맞는 것끼리 연결해 봅시다.

ま	も	め	み	む
모	무	미	메	마

❷ 다음 표에서 히라가나 '라리루레로' 빙고를 찾아 표시해 봅시다.

ら	り	る	れ	ら
り	り	り	り	り
ら	り	る	れ	る
ら	れ	れ	ね	れ
る	れ	ろ	ろ	ろ

❸ 다음 글자 중에서 '야요와오응'을 찾아 순서대로 연결해 봅시다.

❹ 다음 글자 중 각 행에 어울리지 않는 것을 찾아 올바르게 고쳐 써 봅시다.

마행	ほ	み	む	め	も	
야행	や	ゆ	に			
라행	ら	り	ち	れ	ろ	
와오응	わ	お	ん			

Memo

Track-48

가타카나

행 \ 단	아	이	우	에	오
아	ア 아 [a]	イ 이 [i]	ウ 우 [u]	エ 에 [e]	オ 오 [o]
카	カ 카 [ka]	キ 키 [ki]	ク 쿠 [ku]	ケ 케 [ke]	コ 코 [ko]
사	サ 사 [sa]	シ 시 [si]	ス 스 [su]	セ 세 [se]	ソ 소 [so]
타	タ 타 [ta]	チ 치 [chi]	ツ 쯔 [tsu]	テ 테 [te]	ト 토 [to]
나	ナ 나 [na]	ニ 니 [ni]	ヌ 누 [nu]	ネ 네 [ne]	ノ 노 [no]
하	ハ 하 [ha]	ヒ 히 [hi]	フ 후 [hu]	ヘ 헤 [he]	ホ 호 [ho]
마	マ 마 [ma]	ミ 미 [mi]	ム 무 [mu]	メ 메 [me]	モ 모 [mo]
야	ヤ 야 [ya]		ユ 유 [yu]		ヨ 요 [yo]
라	ラ 라 [ra]	リ 리 [ri]	ル 루 [ru]	レ 레 [re]	ロ 로 [ro]
와	ワ 와 [wa]				ヲ 오 [wo]
	ン 응 [n]				

아 [a]

외우는 방법

ア는 **아**가미를 닮은 모양이에요.
'**아**가미의 ア'로 외워주세요.

그림으로 보기

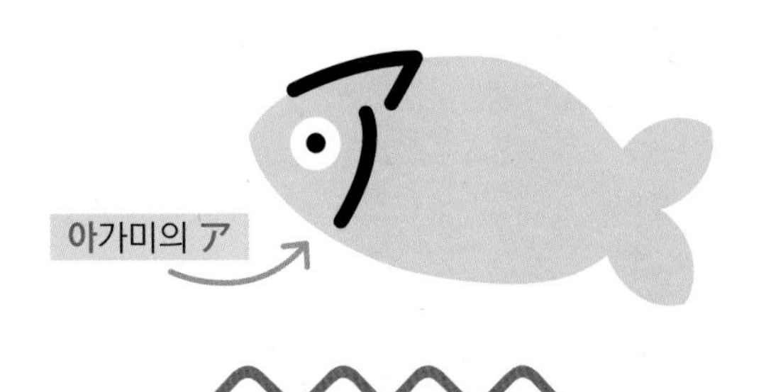

Track-49

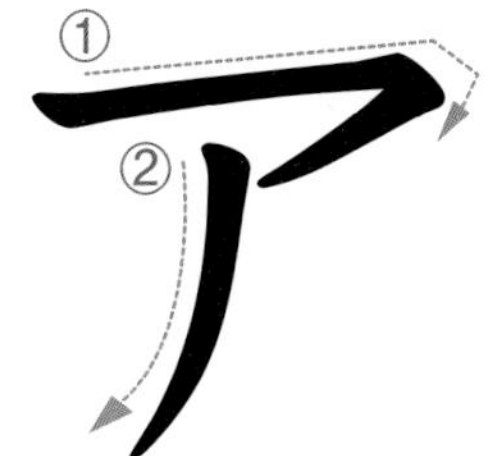

아래 단어에서 가타카나 '아'를 모두 찾아 ○표를 해 봅시다.

アイアン アイスクリーム

정답 アイアン アイスクリーム

이 [i]

외우는 방법

イ는 사람 인(人)자를 닮은 모양이에요.
'사람 인(人)의 イ'로 외워주세요.

그림으로 보기

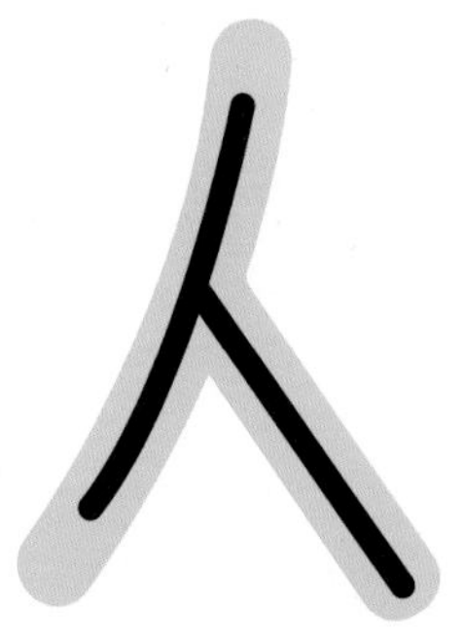

사람 인(人)의 イ

Track-50

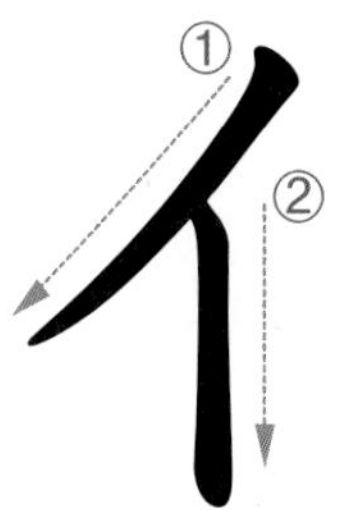

아래 단어에서 가타카나 '이'를 모두 찾아 ◯표를 해 봅시다.

スチームアイロン タイムライン

정답 スチームア(イ)ロン タ(イ)ムラ(イ)ン

우 [u]

외우는 방법

ウ는 히라가나의 う를 닮은 모양이에요.

'う의 ウ'로 외워주세요.

그림으로 보기

う의 ウ

Track-51

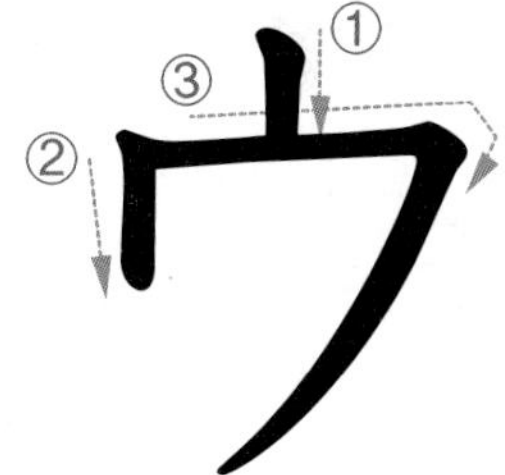

아래 단어에서 가타카나 '우'를 모두 찾아 ○표를 해 봅시다.

オランウタン ウーマン

정답 オラン㋒タン ㋒ーマン

エ

에 [e]

외우는 방법

エ는 에이아이(AI) 글자 속에 들어 있어요.
'**에**이아이(AI)의 **エ**'로 외워주세요.

그림으로 보기

AI

에이아이(AI)의 エ

Track-52

쓰는 순서

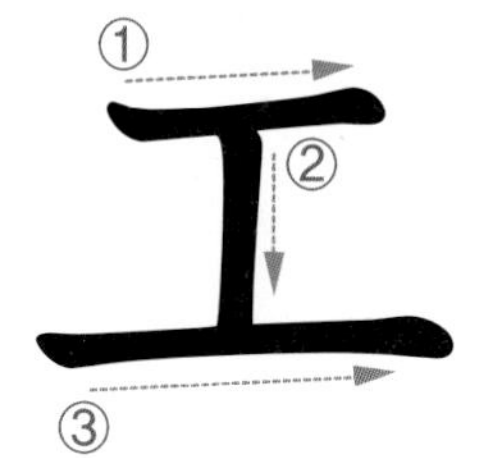

확인 문제

아래 단어에서 가타카나 '에'를 모두 찾아 ○표를 해 봅시다.

エヌエイチケイ エイス

정답 エヌエイチケイ エイス

オ

오 [o]

외우는 방법

オ는 히라가나 'お' 안에 들어 있어요.

'お의 オ'로 외워주세요.

그림으로 보기

お의 オ

Track-53

쓰는 순서

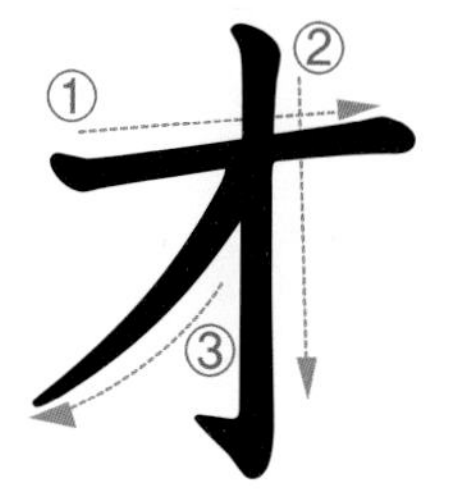

확인 문제

아래 단어에서 가타카나 '오'를 모두 찾아 ○표를 해 봅시다.

オンライン オフライン

정답 ㋔ンライン ㋔フライン

カ

카 [ka]

외우는 방법

カ는 히라가나 か에서 점만 뺀 모양이에요.
'か의 カ'로 외워주세요.

그림으로 보기

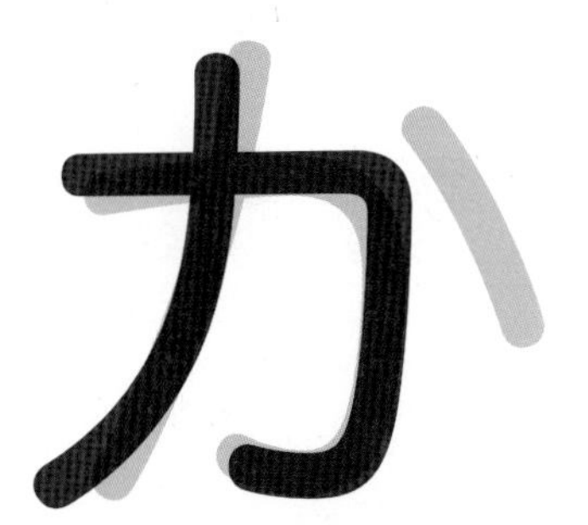

か의 カ

Track-54

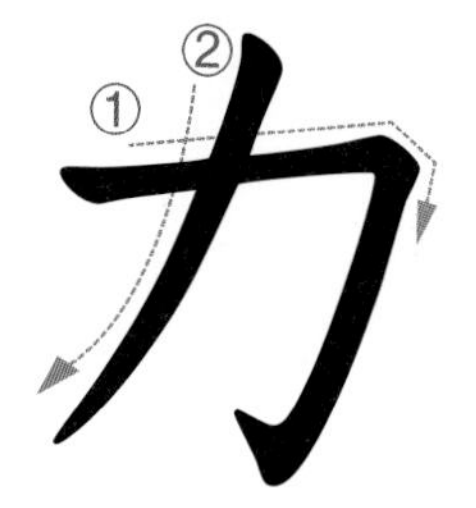

아래 단어에서 가타카나 '카'를 모두 찾아 ○표를 해 봅시다.

アカウント イカ
ツートンカラー

정답 ア㋕ウント イ㋕ ツートン㋕ラー

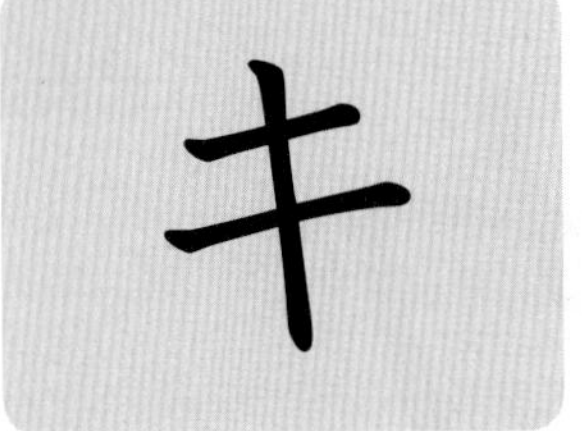

키 [ki]

외우는 방법

キ는 히라가나 き에서 아랫부분만 뺀 모양이에요.
'き의 キ'로 외워주세요.

그림으로 보기

き의 キ

Track-55

쓰는 순서

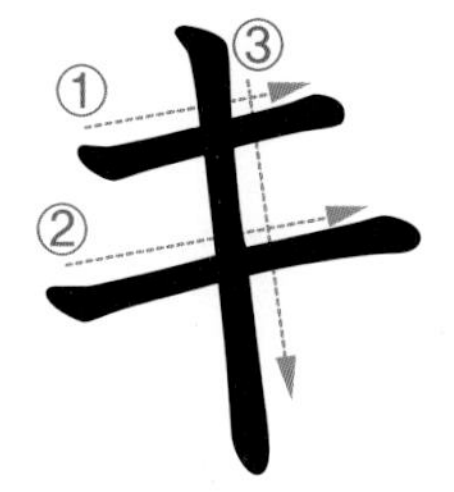

확인 문제

아래 단어에서 가타카나 '키'를 모두 찾아 ○표를 해 봅시다.

スキーリフト キリン

정답 ス㋖ーリフト ㋖リン

ク

쿠 [ku]

외우는 방법

ク는 우리말의 **쿡**을 닮은 모양이에요.

'**쿡**의 **ク**'로 외워주세요.

그림으로 보기

쿡의 ク

Track-56

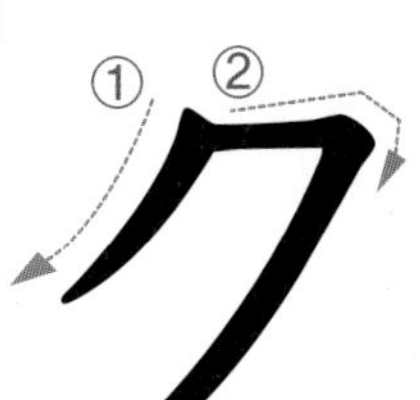

아래 단어에서 가타카나 '쿠'를 모두 찾아 ○표를 해 봅시다.

アクアリウム クリーム

정답 ア(ク)アリウム (ク)リーム

ケ

케 [ke]

외우는 방법

ケ는 히라가나 け와 닮은 모양이에요.
'け의 ケ'로 외워주세요.

그림으로 보기

けの ケ

Track-57

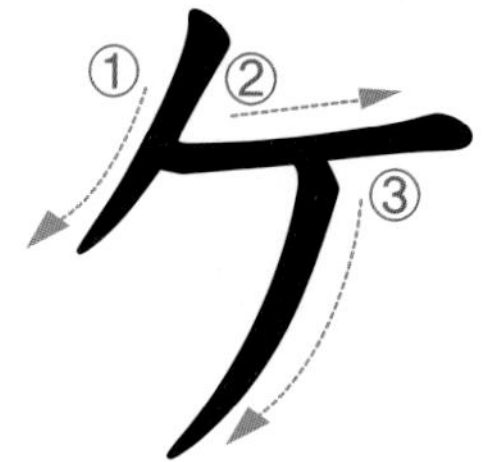

아래 단어에서 가타카나 '케'를 모두 찾아 ○표를 해 봅시다.

ミルクケーキ ケイル

정답 ミルク㋗ーキ ㋗イル

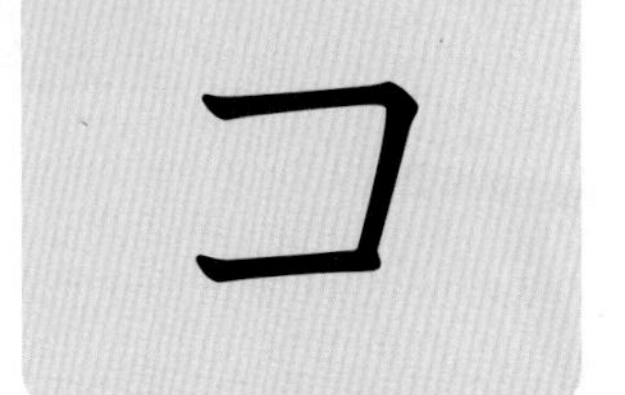

코 [ko]

외우는 방법

コ는 히라가나 こ에 선 하나만 더해 준 모양이에요.

'こ의 コ'로 외워주세요.

그림으로 보기

こ의 コ

Track-58

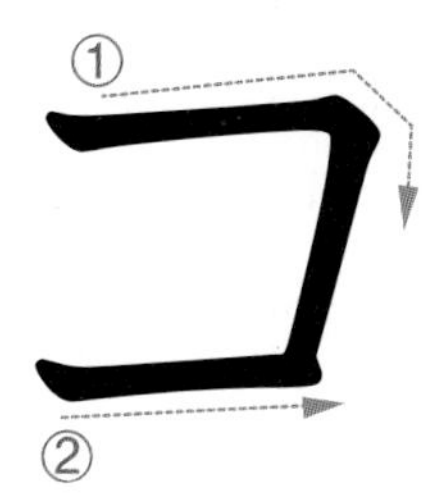

아래 단어에서 가타카나 '코'를 모두 찾아 ○표를 해 봅시다.

コーヒー ココア

정답 (コ)ーヒー (コ)(コ)ア

사 [sa]

외우는 방법

サ는 **삽**을 닮은 모양이에요.

'**삽**의 サ'로 외워주세요.

그림으로 보기

Track-59

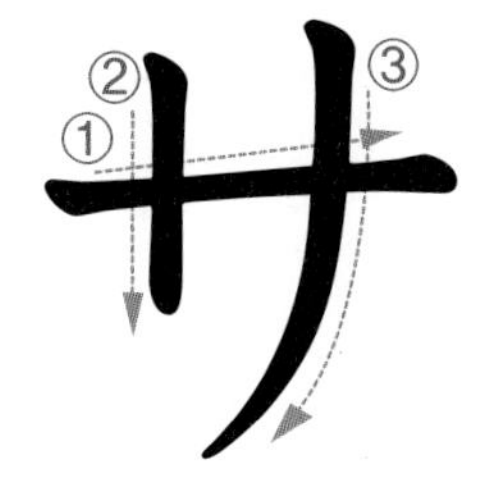

아래 단어에서 가타카나 '사'를 모두 찾아 ◯표를 해 봅시다.

サイト サハラ サイレン

정답 (サ)イト (サ)ハラ (サ)イレン

시 [si]

외우는 방법

シ는 시소를 닮은 모양이에요.
'시소의 シ'로 외워주세요.

그림으로 보기

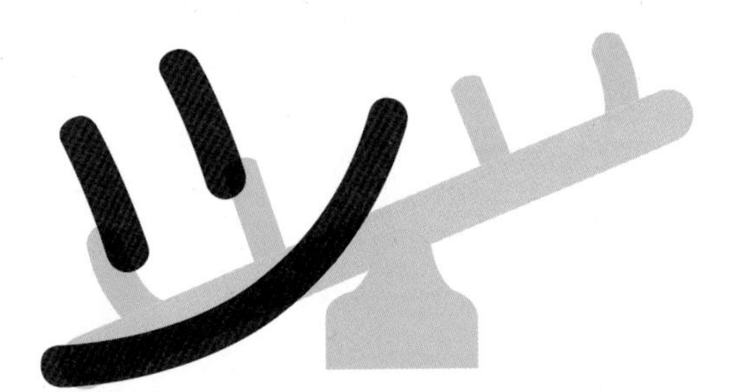

시소의 シ

Track-60

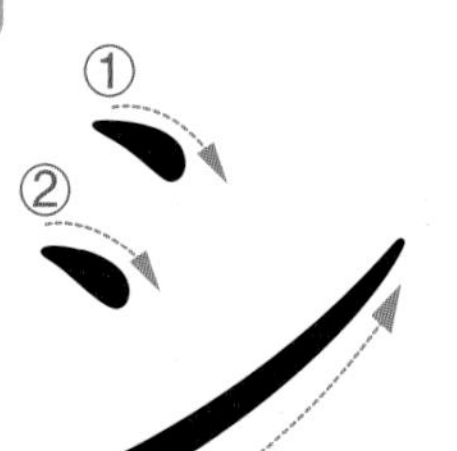

아래 단어에서 가타카나 '시'를 모두 찾아 ○표를 해 봅시다.

シーソー システム

정답 (シ)ーソー (シ)ステム

ス

스 [su]

외우는 방법

ス는 **수저**의 ㅈ자와 닮은 모양이에요.
'**수저**의 ス'로 외워주세요.

그림으로 보기

수저

수저의 ス

Track-61

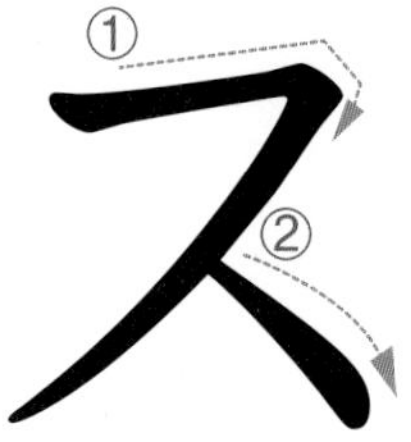

아래 단어에서 가타카나 'ス'를 모두 찾아 ○표를 해 봅시다.

スマホ スクリーン シスター

정답 ㋜マホ ㋜クリーン シ㋜ター

セ

세 [se]

외우는 방법

セ는 히라가나 せ와 닮은 모양이에요.
'せ의 セ'로 외워주세요.

그림으로 보기

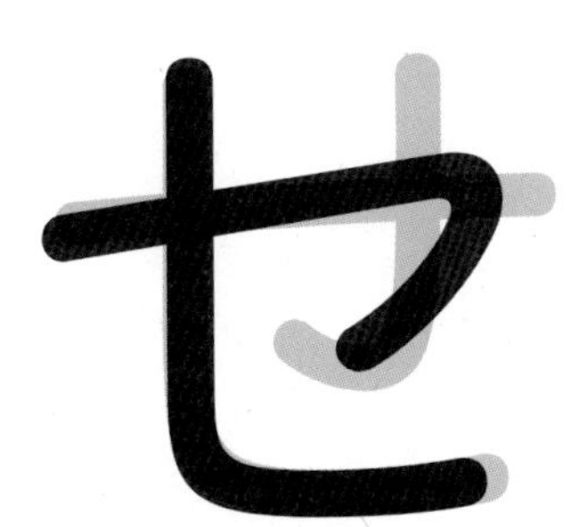

せ의 セ

Track-62

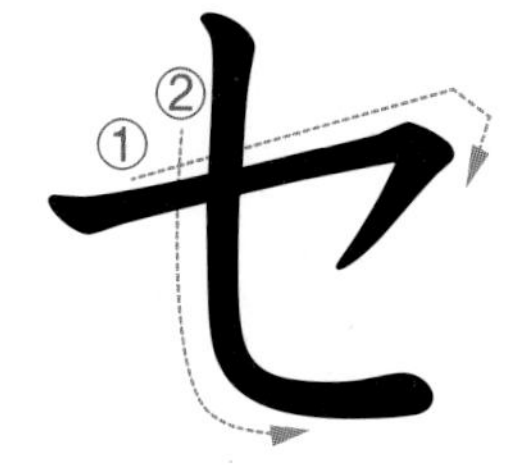

아래 단어에서 가타카나 '세'를 모두 찾아 ○표를 해 봅시다.

センタフライ セサミ

정답 ㋝ンタフライ ㋝サミ

소 [so]

외우는 방법

ソ는 히라가나 そ의 윗부분만 따온 모양이에요.
'そ의 ソ'로 외워주세요.

그림으로 보기

そ의 ソ

Track-63

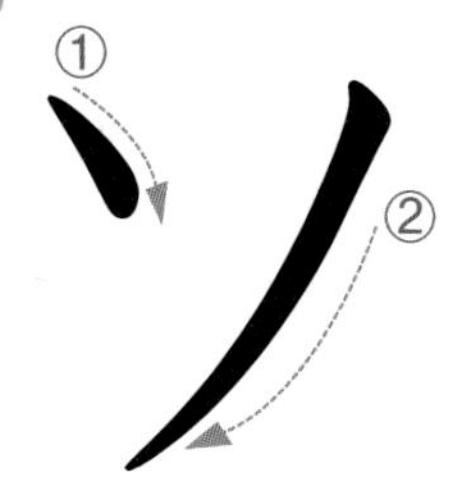

아래 단어에서 가타카나 '소'를 모두 찾아 ○표를 해 봅시다.

ソウル アソシエート ソシアル

정답 ソウル アソシエート ソシアル

지금까지 암기한 내용을 다시 한번 확인해 봅시다.

❶ 서로 맞는 것끼리 연결해 봅시다.

ウ	エ	ア	オ	イ
이	우	에	아	오

❷ 다음 표에서 가타카나 '카키쿠케코' 빙고를 찾아 표시해 봅시다.

カ	ク	ク	カ	カ
キ	キ	コ	キ	キ
カ	キ	ク	ケ	コ
カ	ケ	キ	ケ	カ
ク	コ	カ	コ	コ

❸ 다음 글자 중에서 '사시스세소'를 찾아 순서대로 연결해 봅시다.

❹ 다음 글자 중 각 행에 어울리지 않는 것을 찾아 올바르게 고쳐 써 봅시다.

아행	ア	イ	ワ	エ	オ	
카행	カ	キ	ク	ケ	ユ	
사행	サ	ツ	ス	セ	ソ	

タ

타 [ta]

외우는 방법

タ는 저녁 석(夕)자를 닮은 모양이에요.
히라가나와 합쳐서 '**타석**의 タ'로 외워주세요.

그림으로 보기

타석의 タ

Track-64

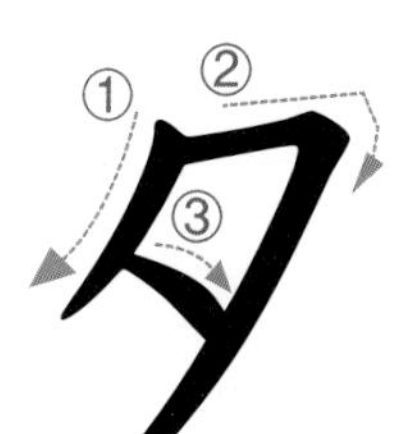

아래 단어에서 가타카나 '타'를 모두 찾아 ◯표를 해 봅시다.

タイムライン タイトル

정답 (タ)イムライン (タ)イトル

치 [chi]

외우는 방법

チ는 천 천(千)자를 닮은 모양이에요.
합쳐서 '**칠천**(七千)의 チ'로 외워주세요.

그림으로 보기

七チ

칠천의 チ

Track-65

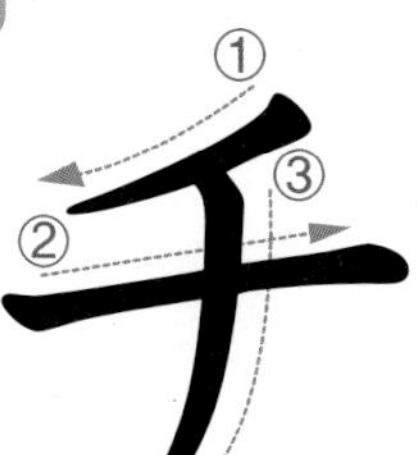

아래 단어에서 가타카나 '치'를 모두 찾아 ○표를 해 봅시다.

チーム チアリーダー

정답 (チ)ーム (チ)アリーダー

츠 [tsu]

외우는 방법

ツ는 히라가나 つ의 측면을 따라 내려서 써요.
'측면의 ツ'으로 외워주세요.

그림으로 보기

측면의 ツ

Track-66

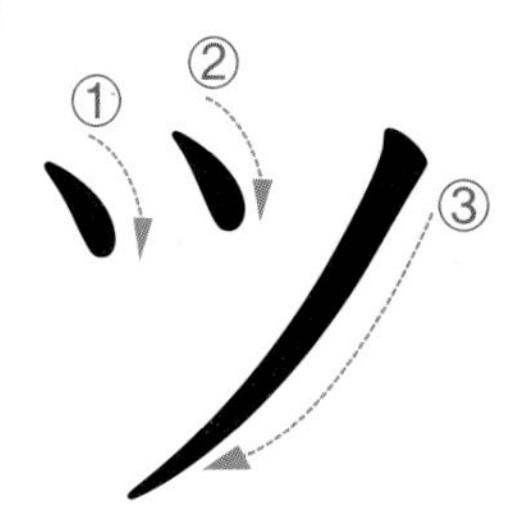

아래 단어에서 가타카나 'ㅊ'를 모두 찾아 ◯표를 해 봅시다.

ツナミ ツクエ ツミ

정답 ツナミ ツクエ ツミ

シ 시	vs	ツ ㅊ

➡ シ는 히라가나 し를 따라 아래에서 위로 올려쓰고, ツ는 히라가나 つ를 따라 위에서 아래로 내려씁니다.

테 [te]

외우는 방법

テ는 굵은 **테**이프입니다.
굵은 '**테**이프의 テ'로 외워주세요.

그림으로 보기

테이프의 テ

Track-67

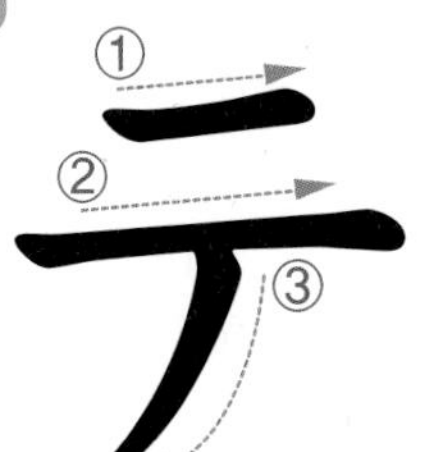

아래 단어에서 가타카나 '테'를 모두 찾아 ○표를 해 봅시다.

テーマ テイクアウト

정답 テーマ テイクアウト

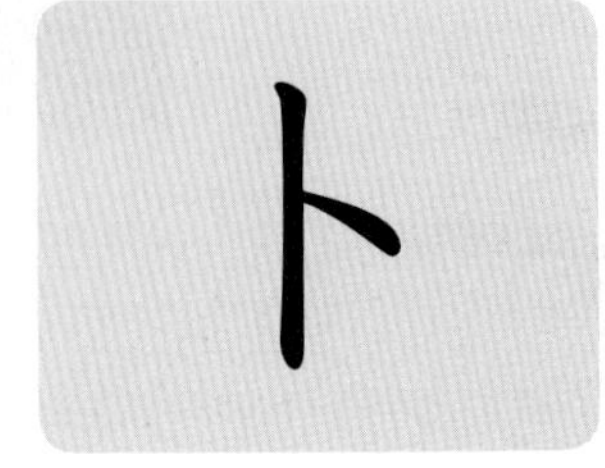

토 [to]

외우는 방법

ト는 **통**나무를 닮은 모양이에요.

'**통**나무의 ト'로 외워주세요.

그림으로 보기

통나무의 ト

Track-68

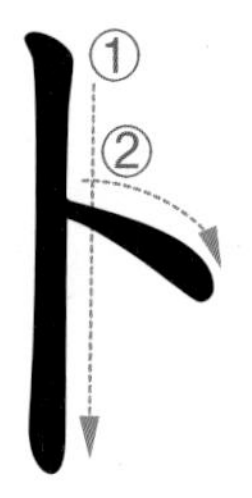

아래 단어에서 가타카나 '토'를 모두 찾아 ○표를 해 봅시다.

トータル トイレ トマト

정답 (ト)ータル (ト)イレ (ト)マ(ト)

나 [na]

외우는 방법

ナ는 히라가나 な 안에 들어 있어요.
'な의 ナ'로 외워주세요.

그림으로 보기

な의 ナ

Track-69

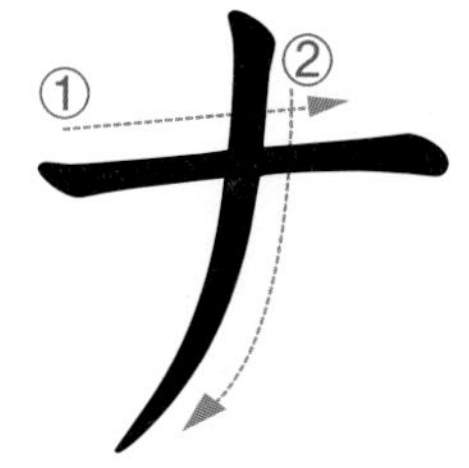

아래 단어에서 가타카나 '나'를 모두 찾아 ○표를 해 봅시다.

ナイス ナイロン

정답 ナイス ナイロン

니 [ni]

외우는 방법

ニ는 히라가나 に 안에 들어 있어요.
'に의 ニ'로 외워주세요.

그림으로 보기

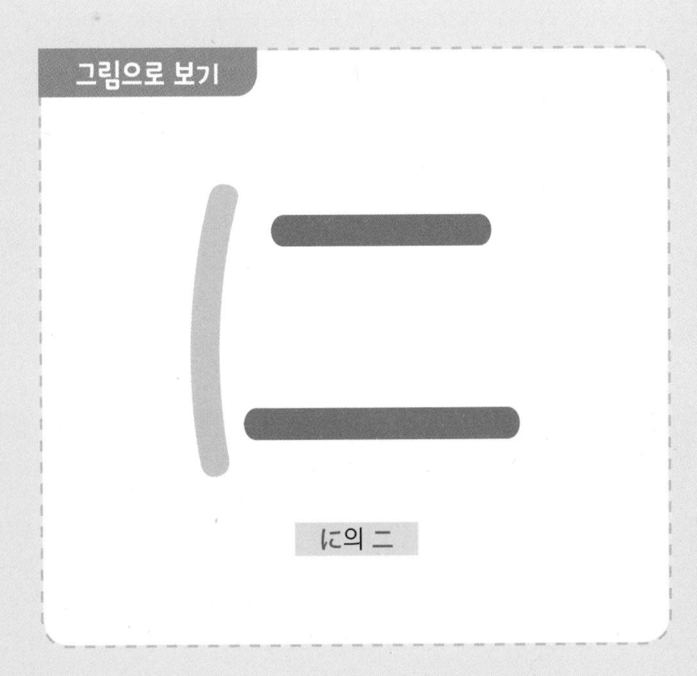

に의 ニ

Track-70

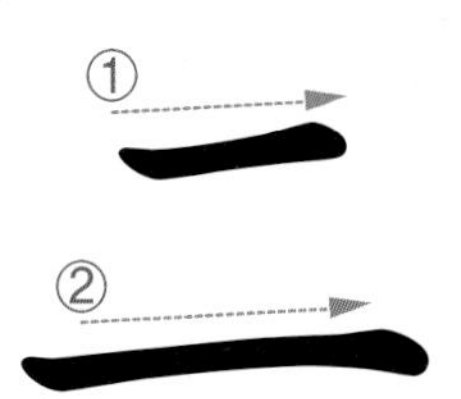

아래 단어에서 가타카나 '니'를 모두 찾아 ○표를 해 봅시다.

テニス ニーズ ニート

정답 テ㋥ス ㋥ーズ ㋥ート

누 [nu]

외우는 방법

ヌ는 히라가나 ぬ 안에 들어 있어요.
'ぬ의 ヌ'로 외워주세요.

그림으로 보기

ぬ의 ヌ

Track-71

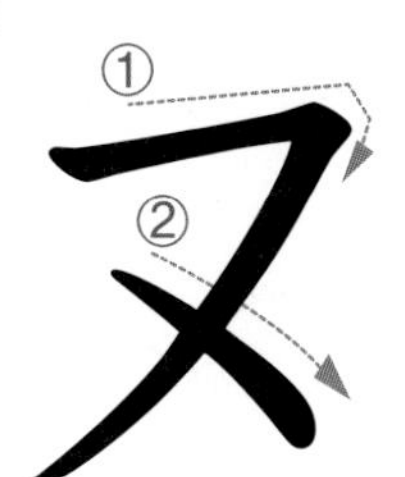

아래 단어에서 가타카나 '누'를 모두 찾아 ○표를 해 봅시다.

マドレーヌ ヌード

정답 マドレー(ヌ) (ヌ)ード

네 [ne]

외우는 방법

ネ는 히라가나 ね 안에 들어 있어요.
'ね의 ネ'로 외워주세요.

그림으로 보기

ね의 ネ

Track-72

쓰는 순서

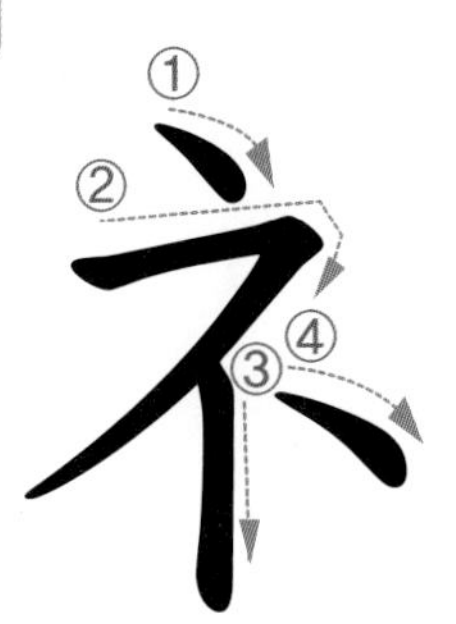

확인 문제

아래 단어에서 가타카나 '네'를 모두 찾아 ○표를 해 봅시다.

ネクタイ ネーム マネー

정답 ネクタイ ネーム マネー

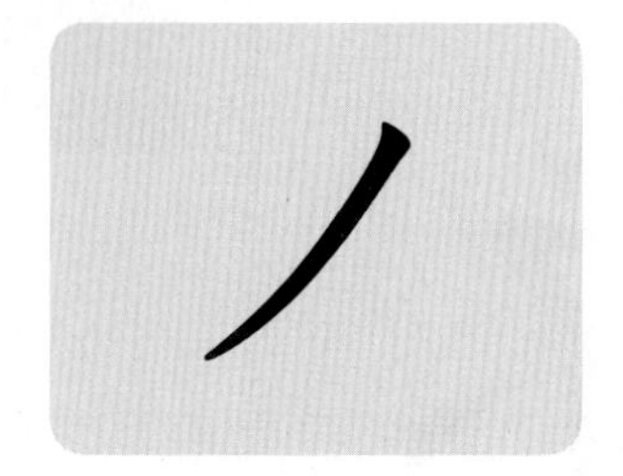

노 [no]

외우는 방법

ノ는 히라가나 の 안에 들어 있어요..
'の의 ノ'로 외워주세요.

그림으로 보기

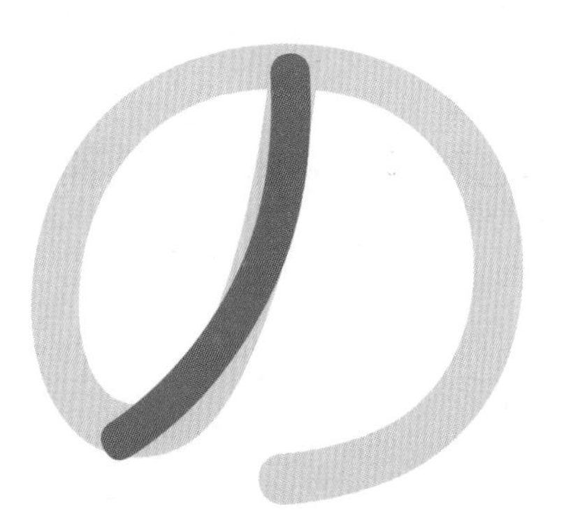

の의 ノ

Track-73

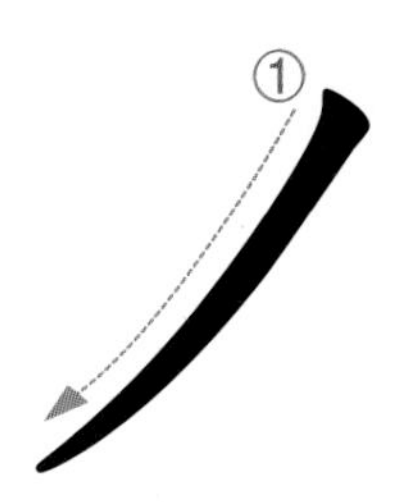

아래 단어에서 가타카나 '노'를 모두 찾아 ◯표를 해 봅시다.

ノルマ ノート ノーマネー

정답 ⓝ ノルマ ノート ノーマネー

하 [ha]

외우는 방법

ハ는 여덟 팔(八)자를 닮은 모양이에요.

한글과 합쳐서 '팔(八) 하나'로 외워주세요.

그림으로 보기

팔(八) 하나

Track-74

쓰는 순서

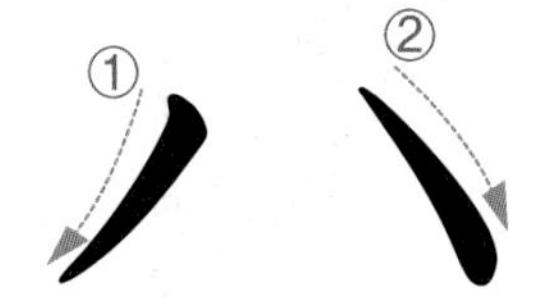

확인 문제

아래 단어에서 가타카나 '하'를 모두 찾아 ○표를 해 봅시다.

ハイライト ハート

정답 ハイライト ハート

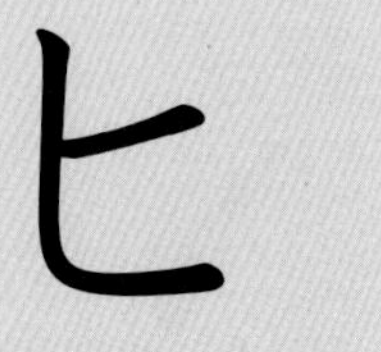

히 [hi]

외우는 방법

히는 하이**힐**을 닮은 모양이에요.

'하이**힐**의 ヒ'로 외워주세요.

그림으로 보기

하이**힐**의 ヒ

Track-75

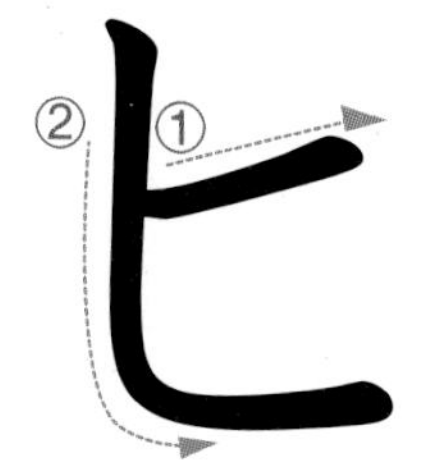

아래 단어에서 가타카나 '하'를 모두 찾아 ○표를 해 봅시다.

ヒット ヒール ヒーター

정답 ヒット ヒール ヒーター

フ

후 [hu]

외우는 방법

フ는 ㄱ자를 닮은 모양이에요.

한글과 합쳐서 '훅 불다의 フ'로 외워주세요.

그림으로 보기

훅불다의 フ

Track-76

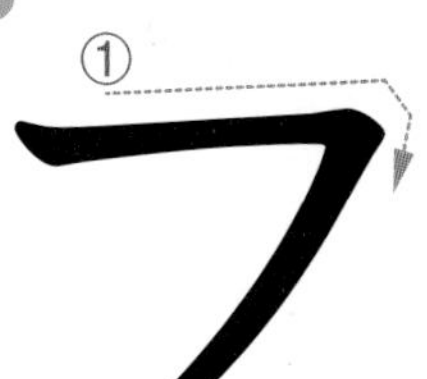

아래 단어에서 가타카나 '후'를 모두 찾아 ◯표를 해 봅시다.

オフ フライ フライヤー

정답 オ㋫ ㋫ライ ㋫ライヤー

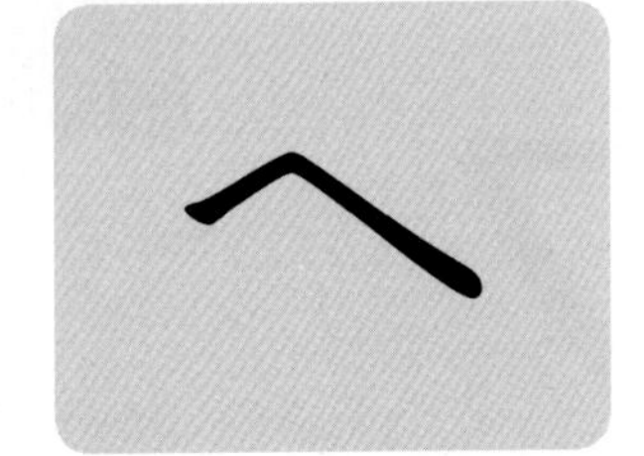

헤 [he]

외우는 방법

ヘ는 히라가나 へ와 거의 똑같은 모양이에요.
'ヘ의 へ'로 외워주세요.

그림으로 보기

Track-77

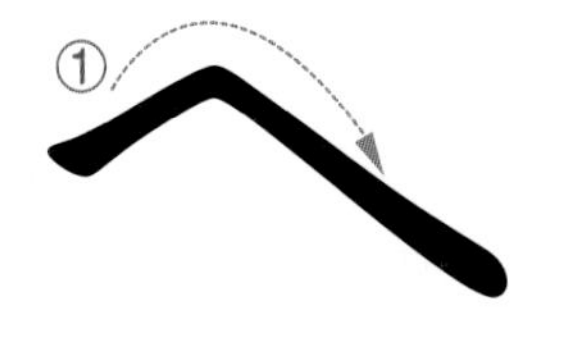

아래 단어에서 가타카나 '헤'를 모두 찾아 ○표를 해 봅시다.

ヘリ ヘアーブラシ

정답 ヘリ ヘアーブラシ

호 [ho]

외우는 방법

ホ는 호두를 닮은 모양이에요.
'호두의 ホ'로 외워주세요.

그림으로 보기

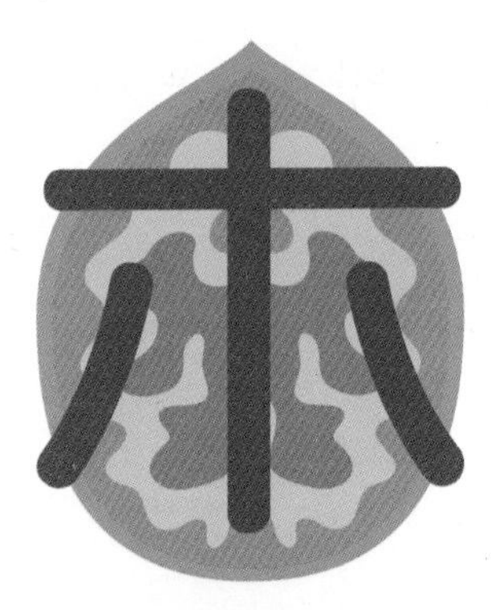

호두의 ホ

Track-78

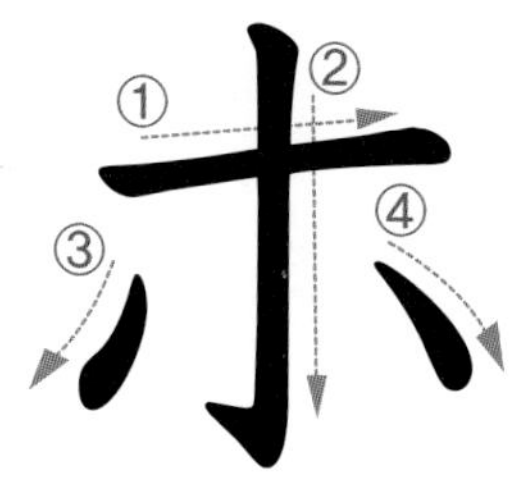

아래 단어에서 가타카나 '호'를 모두 찾아 ○표를 해 봅시다.

ホイル ホース ホラー

정답 ㋭イル ㋭ース ㋭ラー

지금까지 암기한 내용을 다시 한번 확인해 봅시다.

❶ 서로 맞는 것끼리 연결해 봅시다.

タ	チ	ト	ツ	テ
•	•	•	•	•
•	•	•	•	•
타	치	츠	토	테

❷ 다음 표에서 가타카나 '나니누네노' 빙고를 찾아 표시해 봅시다.

ナ	ニ	ナ	ノ	ノ
ニ	ニ	ヌ	ネ	ノ
ヌ	ノ	ヌ	ネ	ヌ
ネ	ニ	ネ	ネ	ニ
ナ	ニ	ノ	ネ	ナ

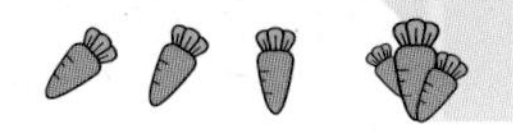

❸ 다음 글자 중에서 '하히후헤호'를 찾아 순서대로 연결해 봅시다.

❹ 다음 글자 중 각 행에 어울리지 않는 것을 찾아 올바르게 고쳐 써 봅시다.

타행	タ	チ	シ	テ	ト	
나행	ナ	ニ	ス	ネ	ノ	
하행	ハ	ヒ	ヌ	ヘ	ホ	

마 [ma]

외우는 방법

マ는 **마**스크를 닮은 모양이에요.

'**마**스크의 **マ**'로 외워주세요.

그림으로 보기

마스크의 マ

Track-79

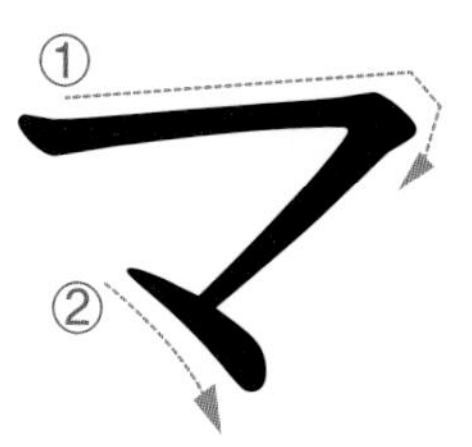

아래 단어에서 가타카나 '마'를 모두 찾아 ○표를 해 봅시다.

マエストロ マスク マフラー

정답 (マ)エストロ (マ)スク (マ)フラー

미 [mi]

외우는 방법

미는 **미**사일이 세 개 있는 모양이에요.
'**미**사일의 ミ'로 외워주세요.

그림으로 보기

미사일의 ミ

Track-80

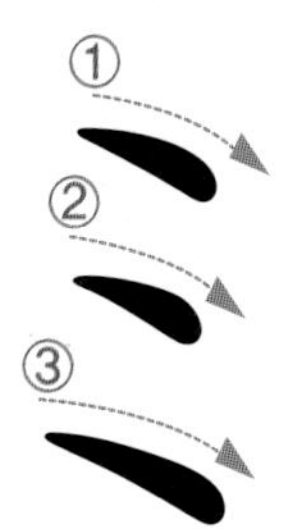

아래 단어에서 가타카나 '미'를 모두 찾아 ◯표를 해 봅시다.

ミイラ ミサイル

정답 ミイラ ミサイル

무 [mu]

외우는 방법

ム는 **무**릎 꿇은 사람을 닮은 모양이에요.
'**무**릎 꿇다의 ム'로 외워주세요.

그림으로 보기

무릎 꿇다의 ム

Track-81

쓰는 순서

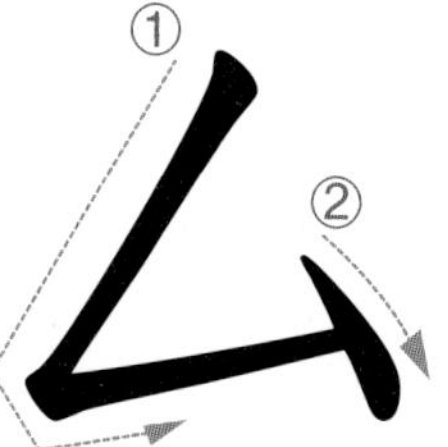

확인 문제

아래 단어에서 가타카나 '무'를 모두 찾아 ○표를 해 봅시다.

アラーム ムース アーム

정답 アラー(ム) (ム)ース アー(ム)

메 [me]

외우는 방법

메는 **메**일을 닮은 모양이에요.
'**메**일의 メ'로 외워주세요.

그림으로 보기

메일의 メ

Track-82

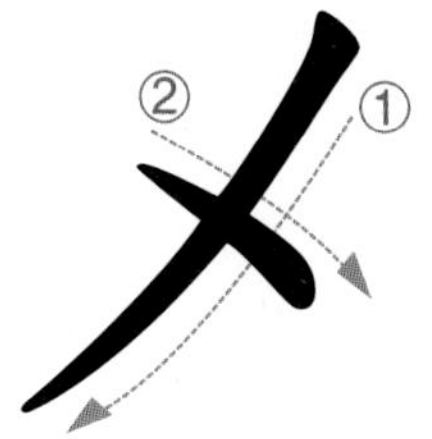

아래 단어에서 가타카나 '메'를 모두 찾아 ○표를 해 봅시다.

メートル メール メス

정답 (メ)ートル (メ)ール (メ)ス

모 [mo]

외우는 방법

モ는 히라가나 も에서 윗부분만 뺀 모양이에요.
'も의 モ'로 외워주세요.

그림으로 보기

も의 モ

Track-83

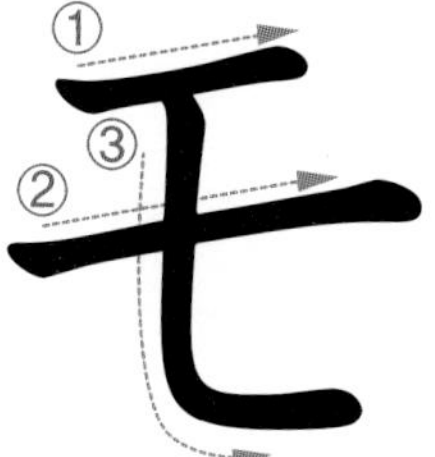

아래 단어에서 가타카나 '모'를 모두 찾아 ○표를 해 봅시다.

モーター　モニター　モカ

정답 モーター　モニター　モカ

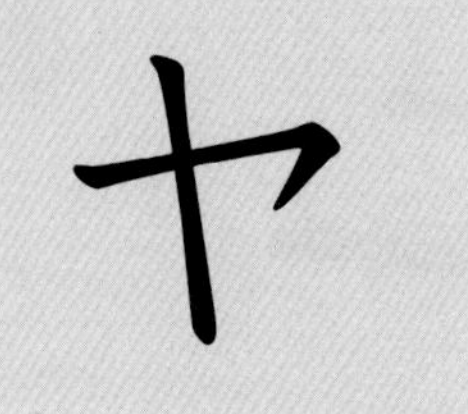

야 [ya]

외우는 방법

ヤ는 히라가나 や에서 점만 뺀 모양이에요.
'や의 ヤ'로 외워주세요.

그림으로 보기

や의 ヤ

Track-84

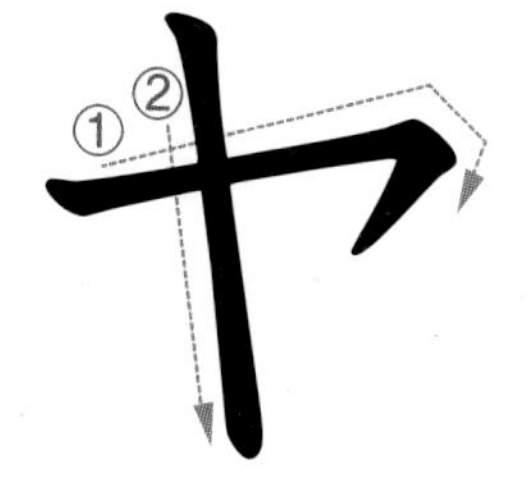

아래 단어에서 가타카나 '야'를 모두 찾아 ○표를 해 봅시다.

ヤカン イヤホン

정답 ㋳カン イ㋳ホン

ユ

유 [yu]

외우는 방법

그는 **유**모차를 닮은 모양입니다.
'**유**모차의 **그**'로 외워주세요.

그림으로 보기

유모차의 그

Track-85

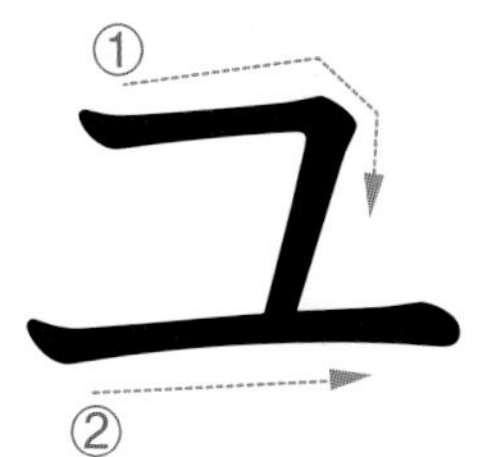

아래 단어에서 가타카나 '유'를 모두 찾아 ○표를 해 봅시다.

ユニーク ユニコーン

정답 (ユ)ニーク (ユ)ニコーン

요 [yo]

외우는 방법

ヨ는 **요**쿠르트 글자 안에 들어있습니다.
'**요**쿠르트의 **ヨ**'로 외워주세요.

그림으로 보기

요쿠르트의 ヨ

Track-86

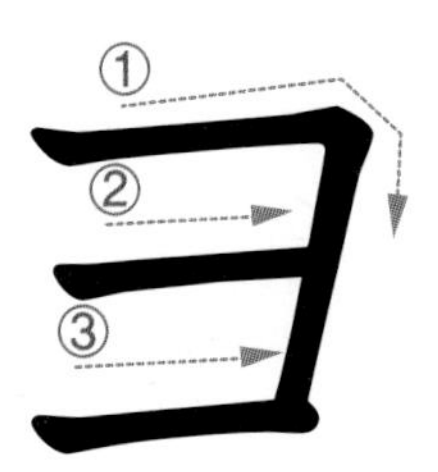

아래 단어에서 가타카나 '요'를 모두 찾아 ○표를 해 봅시다.

ヨーロッパ ヨーヨー

정답 ㋵ーロッパ ㋵ー㋵ー

라 [ra]

외우는 방법

ラ는 히라가나 ら와 닮은 모양이에요.
'ら의 ラ'로 외워주세요.

그림으로 보기

ら의 ラ

Track-87

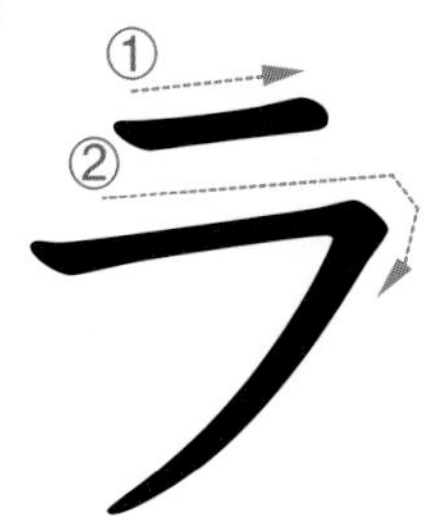

아래 단어에서 가타카나 '라'를 모두 찾아 ○표를 해 봅시다.

ライオン ライト ラスト

정답 (ラ)イオン (ラ)イト (ラ)スト

리 [ri]

외우는 방법

り는 히라가나 り와 닮은 모양이에요.
'り의 リ'로 외워주세요.

그림으로 보기

り의 リ

Track-88

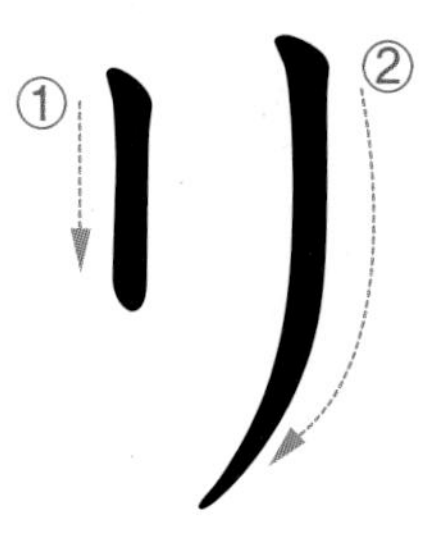

아래 단어에서 가타카나 '리'를 모두 찾아 ○표를 해 봅시다.

リモコン リスタート
コンクリート

정답 リモコン リスタート コンクリート

루 [ru]

외우는 방법

ル는 그루터기를 닮은 모양이에요.
'그루터기의 ル'로 외워주세요.

그림으로 보기

그루터기의 ル

Track-89

쓰는 순서

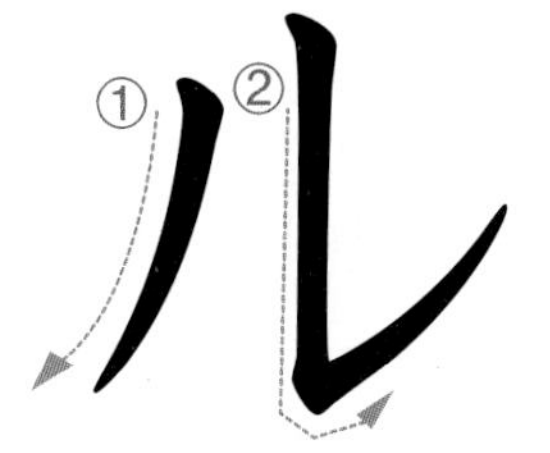

확인 문제

아래 단어에서 가타카나 '루'를 모두 찾아 ○표를 해 봅시다.

ルール カエル ルーム

정답 ⓛール カエⓛ ⓛーム

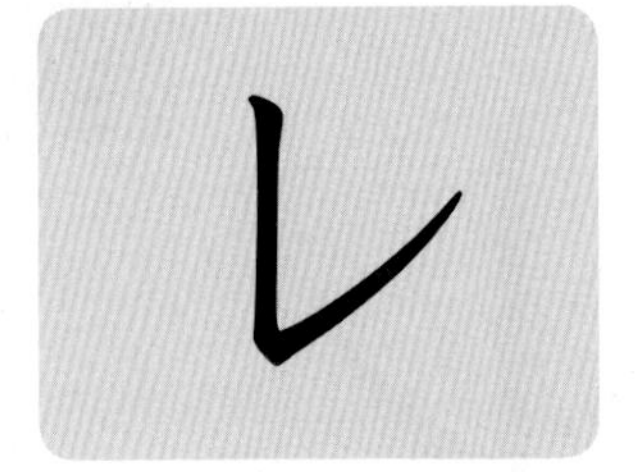

레 [re]

외우는 방법

レ는 포크**레**인을 닮은 모양이에요.
'포크**레**인의 **레**'로 외워주세요.

그림으로 보기

포크**레**인의 レ

Track-90

쓰는 순서

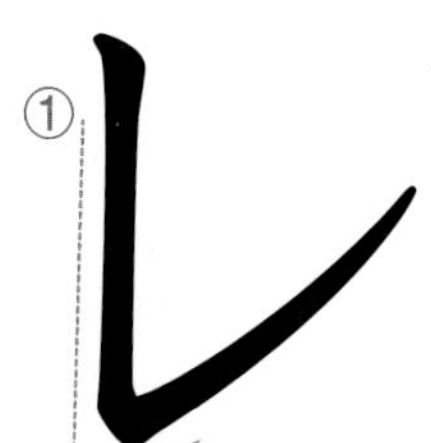

확인 문제

아래 단어에서 가타카나 '레'를 모두 찾아 ◯표를 해 봅시다.

レミコン レース レモン

정답 (レ)ミコン (レ)ース (レ)モン

로 [ro]

외우는 방법

ロ는 로봇의 몸통 모양이에요.
'로봇의 ロ'로 외워주세요.

그림으로 보기

Track-91

쓰는 순서

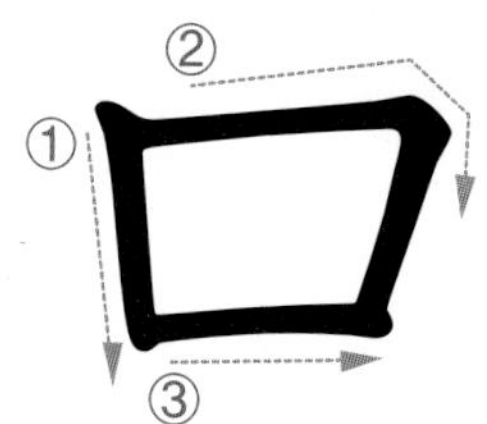

확인 문제

아래 단어에서 가타카나 '로'를 모두 찾아 ○표를 해 봅시다.

ローン ロシア ソロー

정답 ローン ロシア ソロー

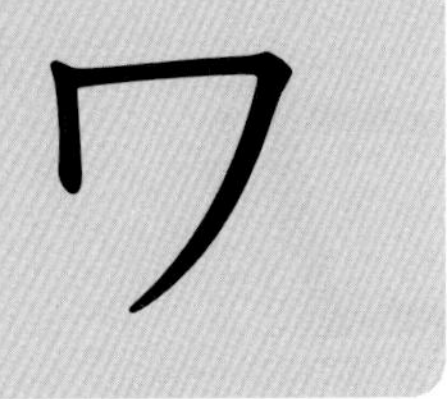

와 [wa]

외우는 방법

ワ는 와인잔을 닮은 모양이에요.
'와인잔의 ワ'로 외워주세요.

그림으로 보기

와인잔의 ワ

Track-92

쓰는 순서

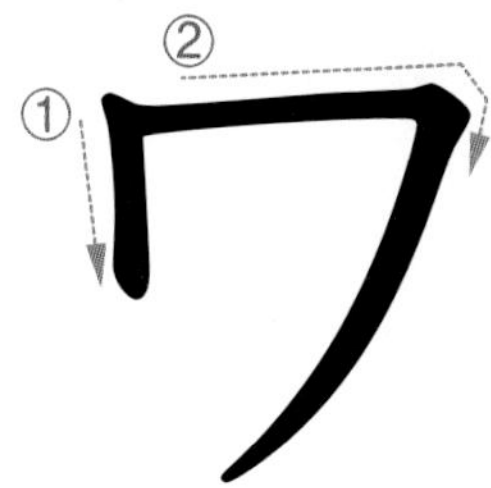

확인 문제

아래 단어에서 가타카나 '와'를 모두 찾아 ○표를 해 봅시다.

ワンピース ワンツースリー

정답 ワンピース ワンツースリー

ヲ

오 [wo]

외우는 방법

ヲ는 '오케이' 글자 안에 들어 있어요.
'오케이의 ヲ'로 외워주세요.

그림으로 보기

오ヲ케이

오케이의 ヲ

Track-93

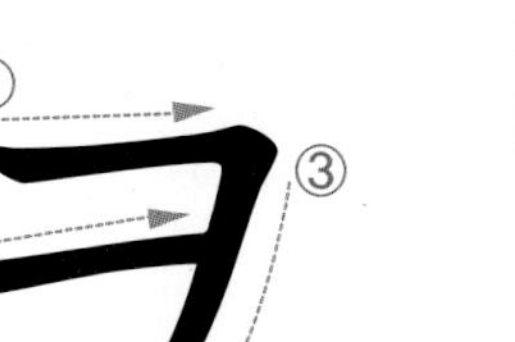

아래 문장에서 가타카나 '오'를 모두 찾아 ○표를 해 봅시다.

ネル マエニ ホンヲ
ヨミマシタ。

ネル マエニ ホン㋾ ヨミマシタ。

응 [nn]

외우는 방법

ン은 응 글자 안에 들어 있어요.
'응의 ン'으로 외워주세요.

그림으로 보기

응의 ン

Track-94

쓰는 순서

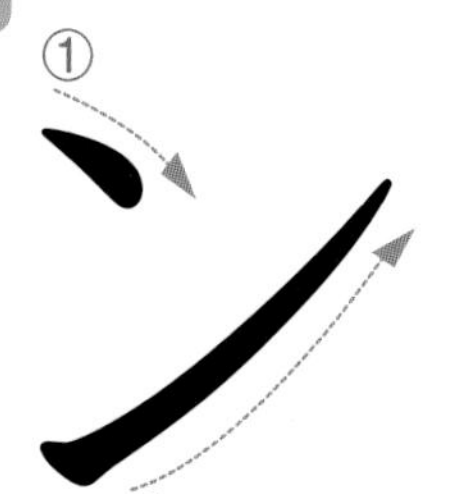

확인 문제

아래 문장에서 가타카나 '응'을 모두 찾아 ○표를 해 봅시다.

ムーン コンテンツ トンネル

정답 ムー(ン) コ(ン)テ(ン)ツ ト(ン)ネル

비슷한 글자 비교하기

ソ 소 vs ン 응

➡ ソ는 히라가나 そ의 윗부분을 쓰듯이 위에서 아래로 쓰고, ン은 '응?'하고 물을 때처럼 아래에서 위로 올려 씁니다.

지금까지 암기한 내용을 다시 한번 확인해 봅시다.

❶ 서로 맞는 것끼리 연결해 봅시다.

ム　　マ　　モ　　ミ　　メ

마　　미　　무　　메　　모

❷ 다음 표에서 가타카나 '라리루레로' 빙고를 찾아 표시해 봅시다.

ラ	リ	ロ	ル	レ
ラ	レ	レ	ル	ロ
ロ	リ	ル	レ	ラ
ラ	リ	リ	レ	ロ
ラ	リ	ラ	レ	ロ

❸ 다음 글자 중에서 '야유요와응'를 찾아 순서대로 연결해 봅시다.

❹ 다음 글자 중 각 행에 어울리지 않는 것을 찾아 올바르게 고쳐 써 봅시다.

마행	マ	ミ	ム	ノ	モ	
야행	ヤ	コ	ヨ			
라행	フ	リ	ル	レ	ロ	
와오응	フ	ヲ	ン			

부 록

01

탁한 음 <탁음>

반만 탁한 음 <반탁음>

<촉음>

<요음>

02

연습문제 정답

탁한 음 〈탁음〉

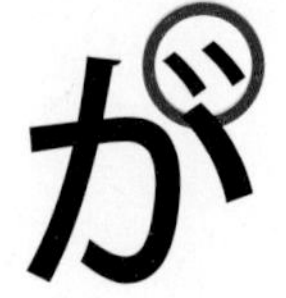

"탁한 음"이라고 해서 탁음이라고 합니다.
큰따옴표처럼 생긴 점 두 개를 붙여주면 탁음이라는 표시입니다. **카사타하**행에 탁음을 붙여주면 **가자다바**행으로 바뀌게 됩니다.

ㅋ ➡ ㄱ

か	카	が	가
き	키	ぎ	기
く	쿠	ぐ	구
け	케	げ	게
こ	코	ご	고

ㅅ ➡ ㅈ

さ	사	ざ	자
し	시	じ	지
す	스	ず	즈
せ	세	ぜ	제
そ	소	ぞ	조

ㅌ ➡ ㄷ

た	타	だ	다
ち	치	ぢ	지
つ	츠	づ	즈
て	테	で	데
と	토	ど	도

ㅎ ➡ ㅂ

は	하	ば	바
ひ	히	び	비
ふ	후	ぶ	부
へ	헤	べ	베
ほ	호	ぼ	보

반만 탁한 음, 반탁음

"반만 탁한 음"이라고 해서 반탁음입니다.
동그라미 하나를 오른쪽 위에 붙여주면 반탁음이라는 뜻입니다.
하행에 반탁음을 붙여주면 파행으로 바뀌게 됩니다.

ㅎ		➡	ㅍ	
は	하		ぱ	파
ひ	히		ぴ	피
ふ	후		ぷ	푸
へ	헤		ぺ	페
ほ	호		ぽ	포

촉음

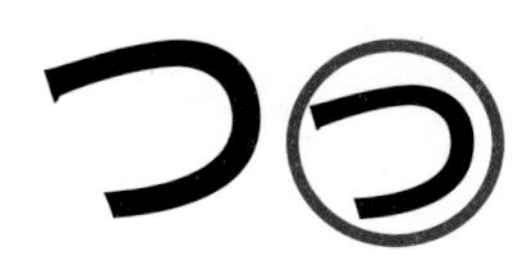

"촉음"은 우리말 'ㄱ, ㅅ, ㅂ' 받침과 비슷합니다. **つ**를 조금 작게 적어주면 촉음이란 표시입니다. 다만 일본어는 이 촉음도 한 글자로 쳐서 발음하니 주의하세요.

한글	일본어
잇/빠/이	い/っ/ぱ/い [이/ㅅ/빠/이]
3글자	4글자

요음

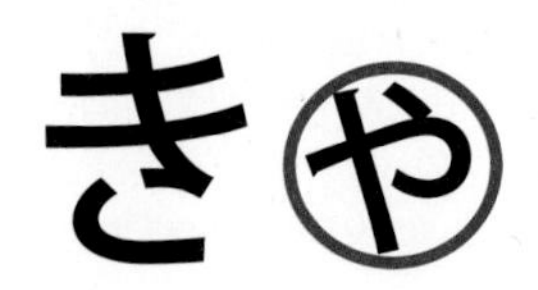

요음은 **い**단 きしちにひみり에 **やゆよ**를 작게 써서 발음의 폭을 넓혀줍니다.
두 글자처럼 보이지만 한 글자로 발음한다는 점에 주의하세요.

い단	や	ゆ	よ
き	きゃ 캬 [kya]	きゅ 큐 [kyu]	きょ 쿄 [kyo]
ぎ	ぎゃ 갸 [gya]	ぎゅ 규 [gyu]	ぎょ 교 [gyo]
し	しゃ 샤 [sha]	しゅ 슈 [shu]	しょ 쇼 [sho]
じ	じゃ 쟈 [ja]	じゅ 쥬 [ju]	じょ 죠 [jo]
ち	ちゃ 챠 [cha]	ちゅ 츄 [chu]	ちょ 쵸 [cho]
ぢ	ぢゃ 쟈 [ja]	ぢゅ 쥬 [ju]	ぢょ 죠 [jo]
に	にゃ 냐 [nya]	にゅ 뉴 [nyu]	にょ 뇨 [nyo]
ひ	ひゃ 햐 [hya]	ひゅ 휴 [hyu]	ひょ 효 [hyo]
び	びゃ 뱌 [bya]	びゅ 뷰 [byu]	びょ 뵤 [byo]
ぴ	ぴょ 퍄 [pya]	ぴゅ 퓨 [pyu]	ぴょ 표 [pyo]
み	みゃ 먀 [mya]	みゅ 뮤 [myu]	みょ 묘 [myo]
り	りゃ 랴 [rya]	りゅ 류 [ryu]	りょ 료 [ryo]

Memo

히라가나 あ·か·さ

❶ 서로 맞는 것끼리 연결해 봅시다.

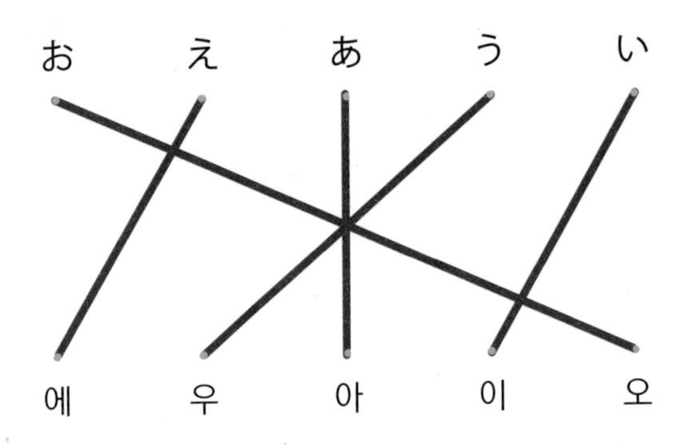

❷ 다음 표에서 히라가나 '카키쿠케코' 빙고를 찾아 표시해 봅시다.

き	か	こ	く	き
か	こ	か	き	け
く	け	け	き	か
か	き	く	け	こ
く	こ	こ	か	か

❸ 다음 글자 중에서 '사시스세소'를 찾아 순서대로 연결해 봅시다.

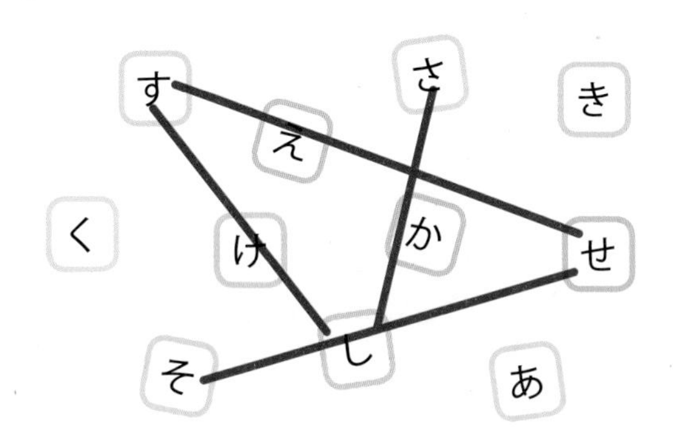

❹ 다음 글자 중 각 행에 어울리지 않는 것을 찾아 올바르게 고쳐 써 봅시다.

정답

히라가나 た·な·は

❶ 서로 맞는 것끼리 연결해 봅시다.

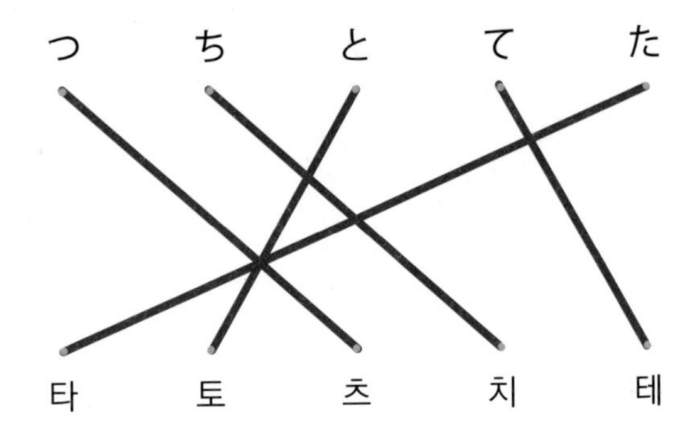

❷ 다음 표에서 히라가나 '나니누네노' 빙고를 찾아 표시해 봅시다.

な	に	な	の	ぬ
に	に	に	ね	ね
ぬ	ね	ぬ	ぬ	な
ね	に	の	に	ね
な	ぬ	の	な	の

❸ 다음 글자 중에서 '하히후헤호'를 찾아 순서대로 연결해 봅시다.

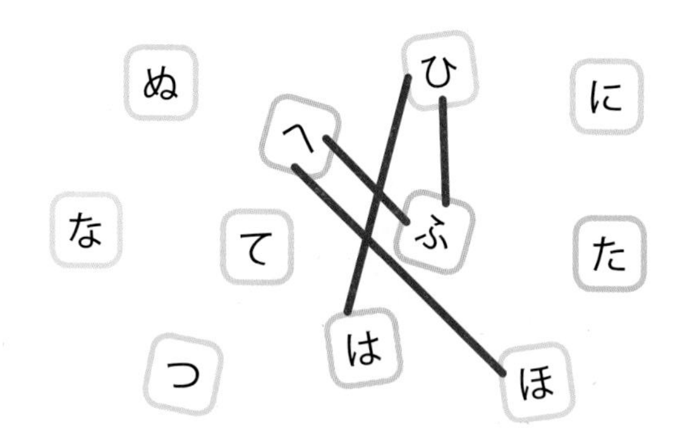

❹ 다음 글자 중 각 행에 어울리지 않는 것을 찾아 올바르게 고쳐 써 봅시다.

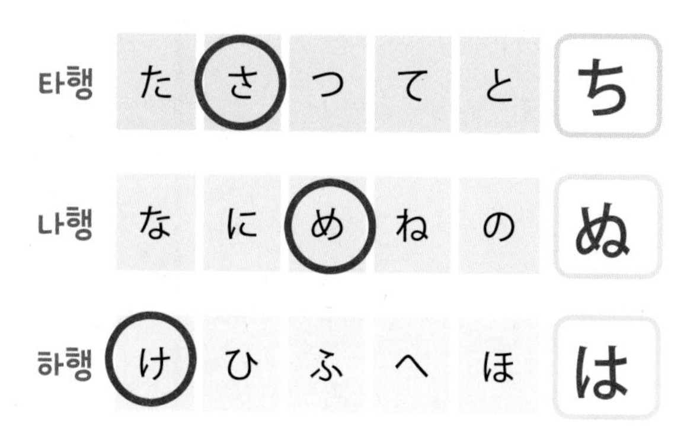

정답

히라가나 ま·や·ら·わ

❶ 서로 맞는 것끼리 연결해 봅시다.

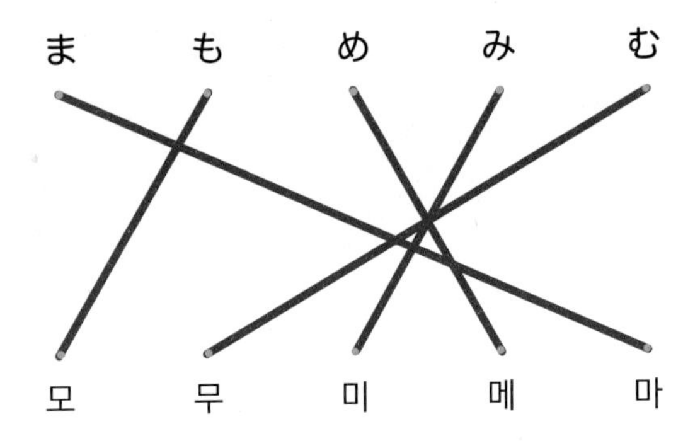

❷ 다음 표에서 히라가나 '라리루레로' 빙고를 찾아 표시해 봅시다.

ら	り	る	れ	ら
り	り	り	り	り
ら	り	る	れ	る
ら	れ	れ	ね	れ
る	れ	ろ	ろ	ろ

❸ 다음 글자 중에서 '야요와오응'을 찾아 순서대로 연결해 봅시다.

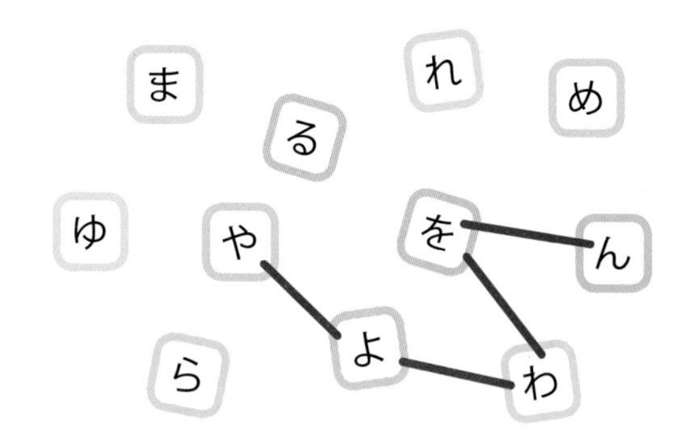

❹ 다음 글자 중 각 행에 어울리지 않는 것을 찾아 올바르게 고쳐 써 봅시다.

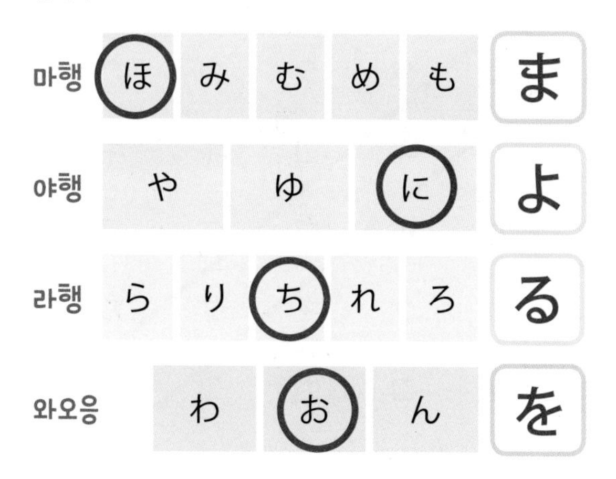

정답

가타카나 ア·カ·サ

❶ 서로 맞는 것끼리 연결해 봅시다.

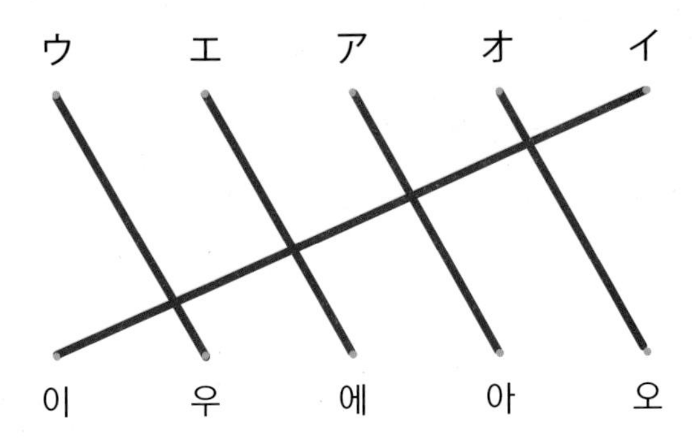

❷ 다음 표에서 가타카나 '카키쿠케코' 빙고를 찾아 표시해 봅시다.

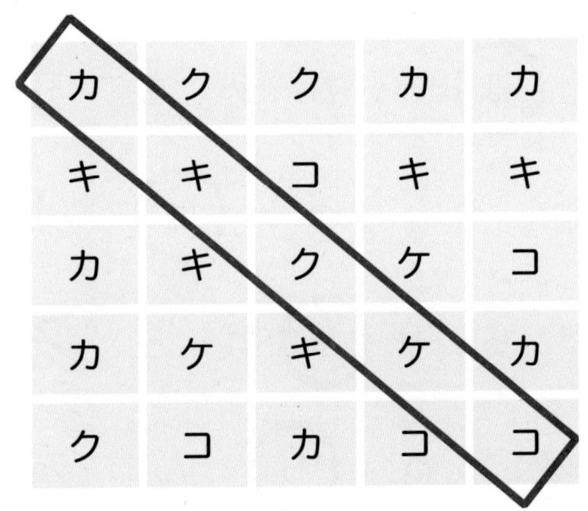

❸ 다음 글자 중에서 '사시스세소'를 찾아 순서대로 연결해 봅시다.

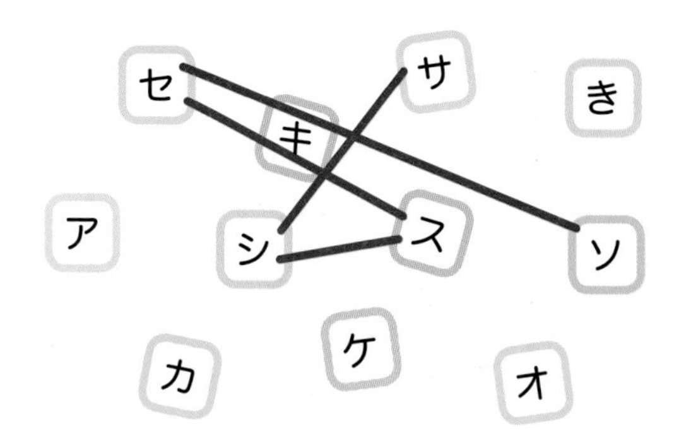

❹ 다음 글자 중 각 행에 어울리지 않는 것을 찾아 올바르게 고쳐 써 봅시다.

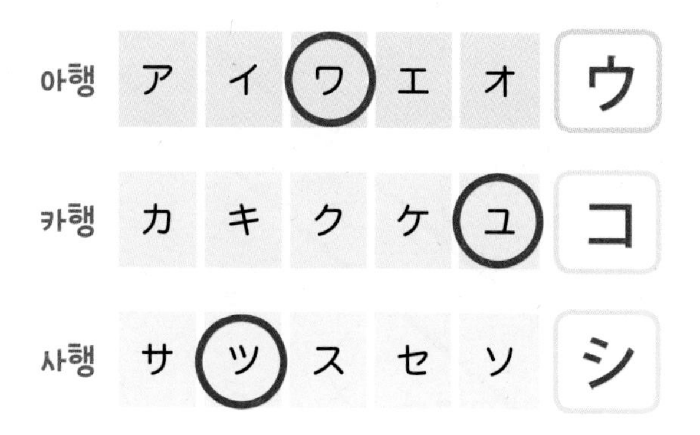

정답

가타카나 タ·ナ·ハ

❶ 서로 맞는 것끼리 연결해 봅시다.

❷ 다음 표에서 가타카나 '나니누네노' 빙고를 찾아 표시해 봅시다.

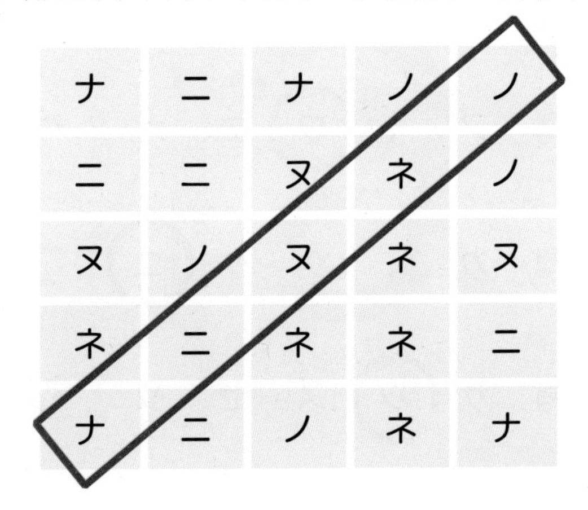

❸ 다음 글자 중에서 '하히후헤호'를 찾아 순서대로 연결해 봅시다.

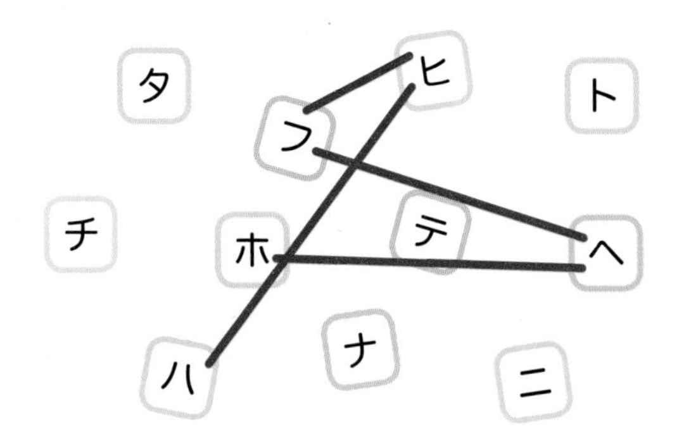

❹ 다음 글자 중 각 행에 어울리지 않는 것을 찾아 올바르게 고쳐 써 봅시다.

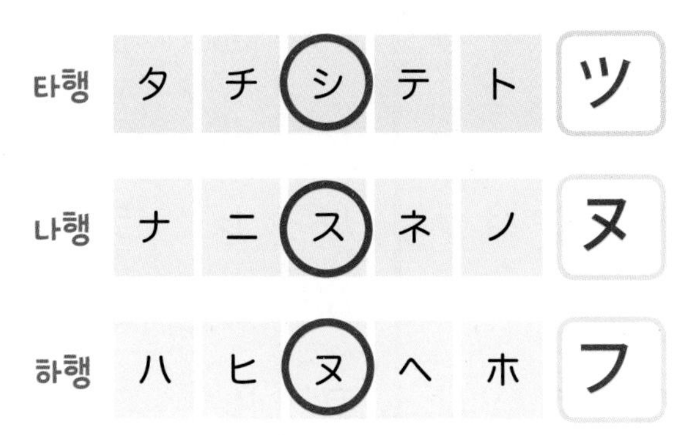

가타카나 マ·ヤ·ラ·ワ

❶ 서로 맞는 것끼리 연결해 봅시다.

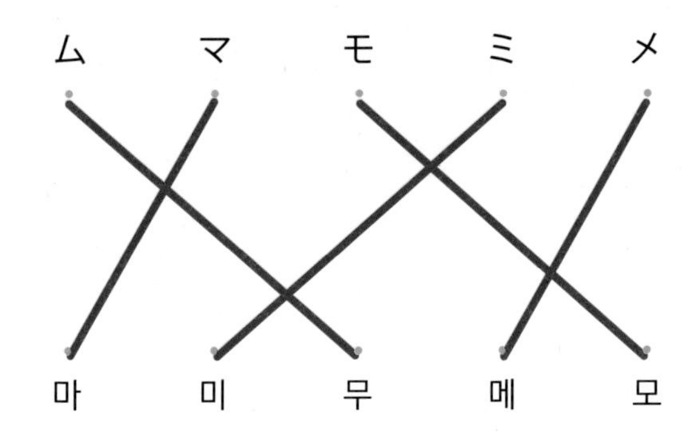

❷ 다음 표에서 가타카나 '라리루레로' 빙고를 찾아 표시해 봅시다.

ラ	リ	ロ	ル	レ
ラ	レ	レ	ル	ロ
ロ	リ	ル	レ	ラ
ラ	リ	リ	レ	ロ
ラ	リ	ラ	レ	ロ

③ 다음 글자 중에서 '야유요와응'를 찾아 순서대로 연결해 봅시다.

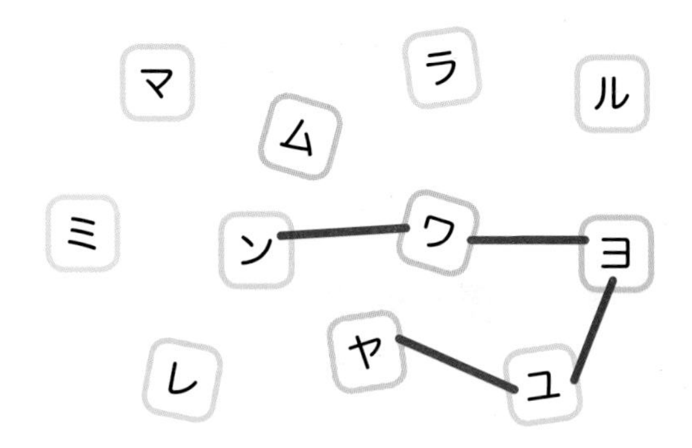

④ 다음 글자 중 각 행에 어울리지 않는 것을 찾아 올바르게 고쳐 써 봅시다.

초판발행	2017년 8월 30일
1판 7쇄	2023년 11월 20일

저자	김주안
책임 편집	조은형, 김성은, 오은정, 무라야마 토시오
펴낸이	엄태상
디자인	진지화
조판	진지화
콘텐츠 제작	김선웅, 장형진
마케팅	이승욱, 왕성석, 노원준, 조성민, 이선민
경영기획	조성근, 최성훈, 김다미, 최수진, 오희연
물류	정종진, 윤덕현, 신승진, 구윤주

펴낸곳	시사일본어사(시사북스)
주소	서울시 종로구 자하문로 300 시사빌딩
주문 및 교재 문의	1588-1582
팩스	0502-989-9592
홈페이지	www.sisabooks.com
이메일	book_japanese@sisadream.com
등록일자	1977년 12월 24일
등록번호	제 300-2014-31호

ISBN 978-89-402-9118-4 13730